We Are Enough

제18회 서울디자인페스티벌
SEOUL DESIGN FESTIVAL 2019

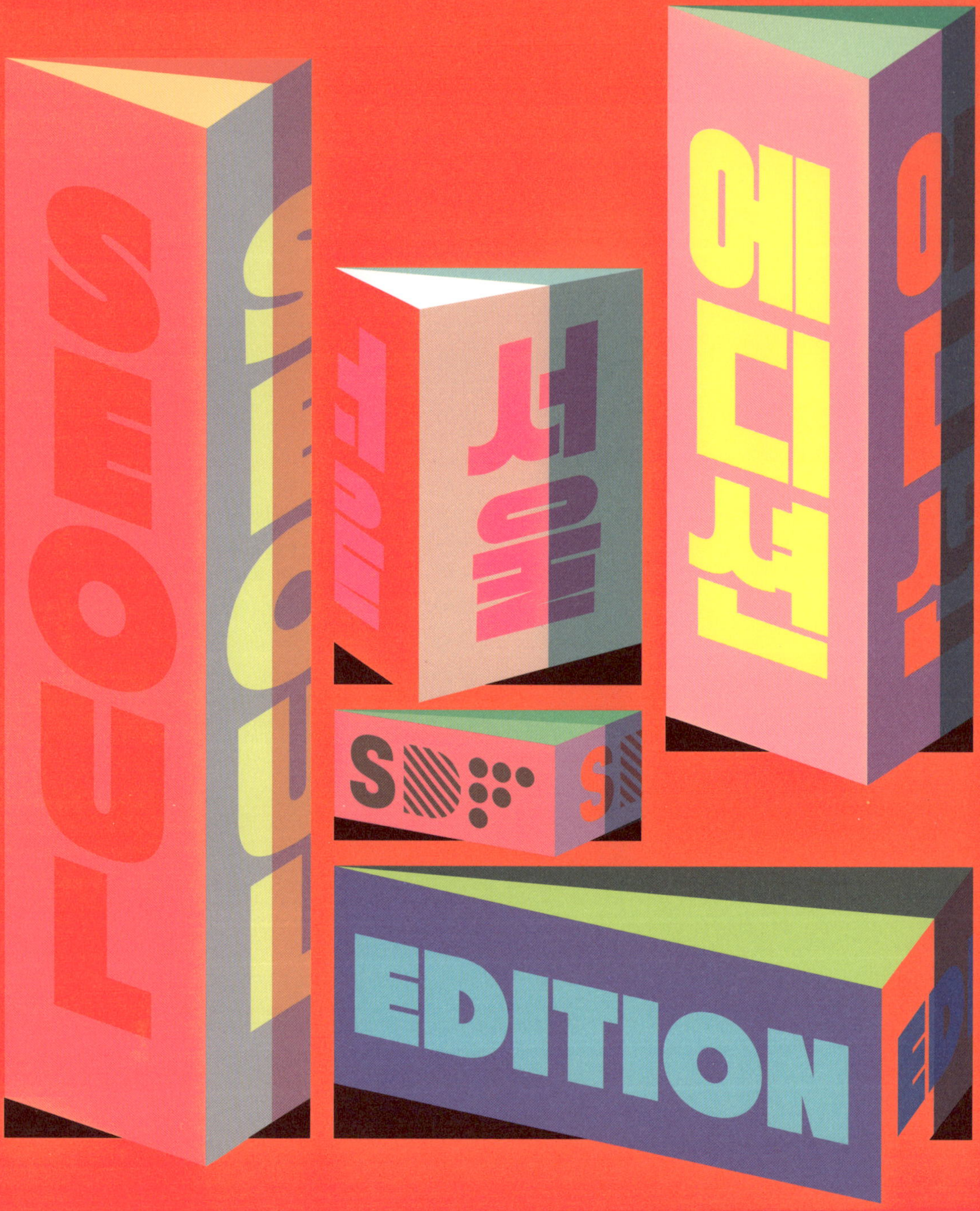

서울 에디션
SEOUL EDITION

2019.12.4–8
COEX HALL C

Organized by design house
Managed by DESIGN

제18회 서울디자인페스티벌

서울 에디션
SEOUL EDITION

당신에게 서울은 어떤 곳입니까? 올해의 서울디자인페스티벌은 흥미로운 창작자와 풍부한 문화 콘텐츠, 개성 강한 지역색이 뒤섞인 서울의 크리에이티브에 주목합니다. 이번 전시는 서울의 다채로운 현상을 담은 한 편의 에디션으로, 디자이너와 브랜드 각자가 해석하는 서울을 통해 새로운 영감과 에너지를 공유하는 자리가 될 것입니다.

전시 일정

일시 2019년 12월 4일(수)~8일(일), 5일간
장소 서울 코엑스 Hall C
시간 10:30~19:00
* 종료 1시간 전 입장 마감
** 12월 4일, 8일은 17:00까지 입장, 18:00 종료
주제 서울 에디션 SEOUL EDITION
입장료 12,000원

전시 구성

디자인 주도 기업 디자이너와의 컬래버레이션으로 새로운 디자인 이슈를 제안하는 기업·브랜드의 콘텐츠 전시
디자인 전문 기업 제품, 그래픽, 패션, 엔터테인먼트, IT, 교육기관, 라이프스타일 등 각 분야의 디자인 전문 기업·브랜드 프로모션
영 디자이너 프로모션 월간 <디자인>이 선정한 디자이너 60명의 셀프 브랜딩
글로벌 콘텐츠 해외 디자이너, 창작자 그리고 브랜드의 디자인 프로모션
올해 주목해야할 일러스트레이터 한해동안 온·오프라인 채널에서 좋은 반응을 얻은 일러스트레이터 기획전

디자인 세미나

기간 2019년 12월 4일(수)~5일(목)
장소 코엑스 컨퍼런스룸 401호
* 전체 연사 및 세부 일정 등록은 홈페이지 참고 seoul.designfestival.co.kr

초청 연사

Bethan Laura Wood
베단 로라 우드
Bethan Laura Wood Studio
디자이너

Daniel Heckscher
다니엘 헥셔
Note Design Studio
건축가

Ville Kokkonen
빌레 코코넨
Ville Kokkonen Office for Industrial Design
디자이너, 알토 대학 교수

Pedro Franco
페드로 프랑코
A Lot of Brazil
디자이너

Soren X. Frahm
소렌 프람
Artlinco 디자이너,
덴마크 디자인 대사

Charlie Clark
찰리 클라크
트렌드 예측 기업 WGSN
트렌드 스페셜리스트

Riccardo Balbo
리카르도 발보
IED(Istituto Europeo di Design) 학장

주최 ● designhouse   주관 월간 <디자인>   문의 SDF@design.co.kr

designfestival.co.kr   fb.com/designfestival.kr   @designfestival.kr

CONTENTS

009

EDITOR'S LETTER

010

A CHILD GROWING
AT HER OWN PACE

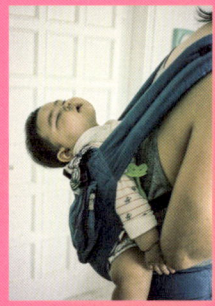

024

THE HAPPINESS OF THE MOMENT
교육인 이 올리비아

038

WE ARE LEARNING FROM
EACH OTHER EVERY DAY
이윤진 가족

050

HOW TO GET INTO A NEW WORLD
그림책 작가 염혜원

060

THE REASON FOR FALLING
IN LOVE WITH THE CITY
해외에 사는 다섯 가족 이야기

082

WHY DID YOU COME TO MY HOUSE?
작가 '그림에다' 심재원

092

TREASURES FROM EVERYWHERE
도시를 담은 브랜드

The Fun Never Ends

즐거움이 넘쳐나는 PIC 리조트에서
우리 가족만의 이야기를 만들어 보세요.

#올인크루시브리조트 #워터파크 #키즈클럽 #PIC리조트

www.pic.co.kr

VOL.17 CITY

098

LIVING IN ANOTHER CITY
우리도 한번쯤 떠나볼까? 한달살기 체험

122

MASTERPIECE STORY
세계에서 가장 행복한 나라의 비밀, 피터 일스테드

126

FOOD RECIPE
겨울 채소로 만드는 아이 반찬

130

**WINTER VACATION IN
A WARM SOUTHERN ISLAND**
따뜻한 남태평양의 리조트, PIC

110

ESSAY
룩이 아빠는 미국인

116

WARM MEMORIES OF THE DAY
화보 촬영 하던 날

118

PICTURE BOOKS
살아보고 싶은 도시

134

GREET!

WWW.KITTYBUNNYPONY.COM

KBP WEAR

WITH
STUDIO OHYUKYOUNG
SMILE, MOON

City

EDITOR'S LETTER

지금 내가 사는 서울이 좋다. 특징도 없고 교통체증에 물가도 비싸다고는 하지만 내가 가장 마음 편하게 살 수 있는 도시다. 긴 여행을 떠나고 서울로 들어서면 한강을 끼고 대로를 달리게 되는데, 그때 안도의 한숨을 내쉬게 된다. 아마도 대부분 사람들이 지금 사는 곳이 가장 편할 테다. 익숙하다는 건 편하다는 말과 같다. 나에게 주어진 환경에 맞춰 변하기도 한다. 바로 가족의 형태가 바뀌었을 때 말이다. 아이가 있기 전과 후를 비교해 보면 살고 싶은 곳의 기준도 달라진다. 집뿐만 아니라 주변 환경이 아이를 키우기에 적당한지 살펴보기 때문이다. 여러 가지 상황과 성향의 다양한 사람들이 모여 하나의 도시를 만든다. 그렇게 도시는 각기 다른 분위기를 가지고 있다. 우리는 내가 사는, 혹은 살고 싶은 도시를 이야기해 보았다.

편집장 김이경

A CHILD GROWING AT HER OWN PACE

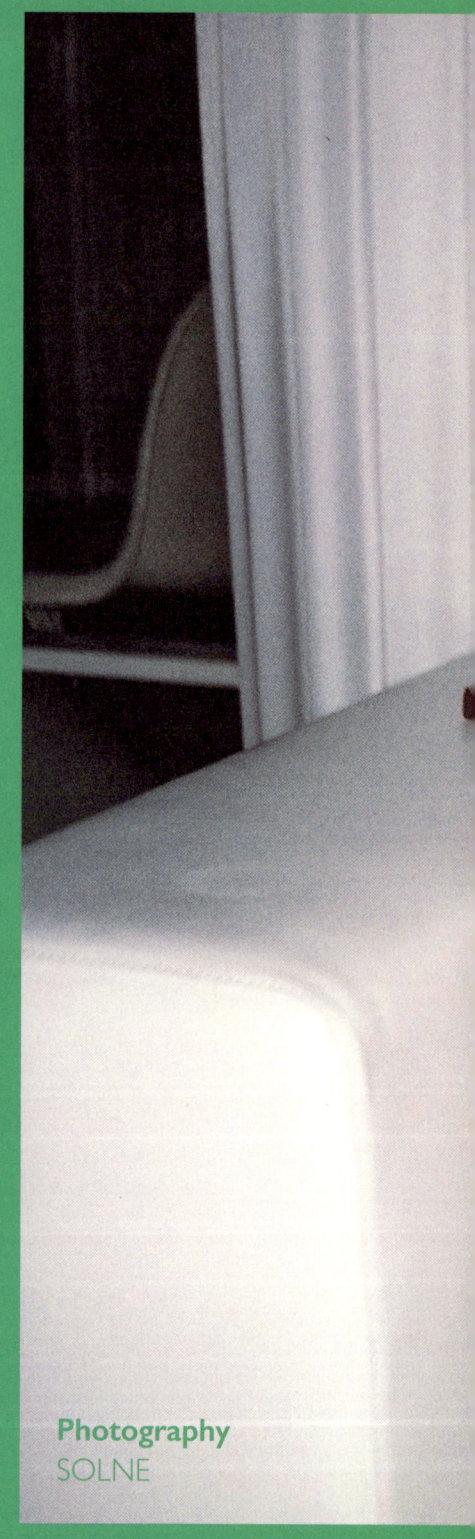

Photography
SOLNE

INTERVIEW

솔네 | 포토그래퍼

어디에, 누구와 살고 있나요?
저는 서울에서 나고 자랐어요. 저희 집에는 포토그래퍼 엄마, 모델 겸 디제이이자 아마추어 마라토너인 아빠, 축구와 발레를 좋아하는 딸 셀린이가 살고 있어요. 이곳 서래마을은 예전에도 살던 동네예요. 어릴 땐 잘 몰랐는데 크고 나니까 자꾸 익숙한 곳으로 돌아가고 싶어지더라고요. 셀린이를 임신하고, 낳고, 키우면서 쭉 여기에서 지내요. 집 근처의 놀이터에는 아이들이 많아서 언제나 활발한 분위기예요. 남편 제임스도 외국인과 혼혈이 많은 이 동네에서는 자신이 특별해 보이지 않는다는 데서 안정을 얻고요. 서울은 우리에게 그런 곳이에요. 익숙함, 안정감, 가족의 화목함이 있는 곳.

《에브리원 셀린이》에 딸 셀린이의 사랑스러운 모습을 가득 담았어요. 어떤 마음으로 출간을 준비했나요?
사진가로서 진짜 나만이 찍을 수 있는 것이 뭔지 많이 고민해 봤는데, 예전에는 제임스였고 지금은 셀린이에요. 지극히 개인적이지만 그게 정말 내 것이더라고요. 이번 사진집은 그런 '내 것'들을 모으고 고른 거예요. 나중에 셀린이에게 '네가 기억하지 못하는 이 시기에 너는 이렇게 많은 사람들을 만나고 많은 경험을 했어.'라고 말해주고 싶고, 언젠가 사진집을 펼쳐 보시는 분들이 '맞아, 이 때는 아이를 이렇게 키웠지.' 하고 공감해주시면 좋겠어요.

셀린이는 어떤 아이인가요?
셀린이는 걷는 것도, 말하는 것도 좀 늦었어요. 성격이 느긋해서 그런가? 누군가는 이런 모습을 보고 걱정하기도 하지만 저희는 셀린이가 그저 자기 속도를 따라 천천히 크고 있다고 생각하고 지켜봐 주려고 해요. 천천히 자라는 거지, 자라지 않는 건 아니니까요.

천천히 자라는 셀린이 옆에는 늘 누군가 있네요. 엄마, 아빠, 이모, 삼촌, 친구들….
맞아요. 어릴 때 놀던 친구들이 이제는 결혼을 하고 아이를 낳았어요. 한데 모여 날 좋으면 한강에 가고, 여름에는 계곡에 가고, 겨울에는 돌아가면서 집으로 놀러 가고, 가끔 여행도 가요. 거의 공동 육아죠(웃음). 자주 만날 수 있는 또래 친구들이 있다는 게 아이들에게도 좋은 영향을 주는 것 같아요.

사진 속 제임스 씨는 다정하고 장난스러운 아빠 같아요.
제임스는 가족의 시간을 소중히 여길 줄 아는 좋은 아빠예요. 어딜 가든 무얼 하든 셋이 함께하려고 해요. 제임스가 국제 마라톤 대회에 출전할 때도 두 달 동안 함께 나가 있었어요. 현실적으로 어려운 부분이 있지만 셀린이와 함께 그 과정을 준비하고 더 넓은 세상을 보는 게 무엇보다 중요했으니까요. 우리는 언제나 '다 같이'를 첫째 가치로 둬요. 제임스와 셀린이를 만나고 나서는 항상 어디를 가도 잘 살 수 있을 거라는 확신이 들어요. 언제, 어디가 될지는 알 수 없지만 기회가 되면 훌쩍 떠날지도 모르죠.

가족 사이에 신뢰가 무척 두터워 보여요. 이 가족 안에서, 셀린이가 어떤 아이로 자랐으면 하나요?
사람에 가치를 두고 계절의 흐름을 느낄 줄 아는 사람, 자기만의 취향을 가진 사람. 셀린이가 그런 사람이 되면 좋겠어요. 계절의 변화처럼 감사한 것을 당연하게 여기지 않고, 자신이 좋아하는 것, 자신에게 맞지 않는 것 정도는 판단할 수 있기를 바라요.

에브리원 셀린이
사진 솔네 | 쎄프로젝트

이 올리비아

THE HAPPINESS OF THE MOMENT

미루지 않는 행복

나는 한국에 산다. 그리고 이곳의 삶을 종종 불만스러워한다. 불평을 파헤치기 싫다는 이유로 자세히 살펴보기를 미뤄왔는데, '한국은 정말 살기 좋은 나라'라고 말하는 이를 만났다. 프랑스에서 태어나 자랐지만 스스로 한국을 선택하여 가족을 이룬, 이 올리비아다. 여러 질문을 하고 답을 얻으며 알았다. 만족스러운 삶은 '나라나 도시'의 문제가 아니라 '선택과 결정'의 일임을. 그가 이토록 당당한 이유도 자신이 한 선택을 '옳음'이라 믿으며 최선을 다해 책임지기 때문이리라.

INTERVIEW

이 올리비아 | 교육인, 방송인

내가 선택한 도시,
서울

볕이 정말 잘 드는 집이네요.
처음 보자마자 계약한 집이에요. 전망도 확 트이고 낮에 빛이 많이 들어와서 밝아요. 아이들 어린이집 보냈으니까 저희 빵 좀 먹으면서 이야기 해요(웃음). 아침에 만들어놓고 나왔는데 아마 다 되었을 거예요.

와, 너무 맛있어 보여요. 빵을 직접 만드세요?
빵을 좋아하는데 매번 사 먹기는 비싸더라고요. 만들어 먹고 싶었는데 어머니가 프랑스에서 기계를 보내주셔서 집에서 해 먹고 있어요. 제가 멋스럽게 차리진 못해도 맛은 괜찮을 거예요. 따끈따끈해요. 매실 주스랑 같이 드세요. 아 프랑스 치즈도 꺼내 올게요(웃음).

따뜻하니 정말 맛있네요! 먹으면서 인터뷰할까요?
좋아요. 먼저 제 소개부터 할까요?

네(웃음). 가족도 소개해주시면 좋고요.
저는 교육인이자 방송인이에요. 38개월 루이, 23개월 루나 엄마고요. 프랑스에서 태어나 자랐는데, 중국에서 석사를 졸업하고 한국에 왔어요. 한국 오자마자 아리랑 TV에서 일을 했어요. 우연히 〈한식예찬〉이라는 방송을 진행하기도 했고요. 전공이 교육이라 여러 대학에서 학생들에게 언어를 가르치다 5년 전부터는 국립외교원 전임강사로 일하고 있어요. 국제기구에도 관심이 많아서 국제백신연구소 IVI에서 인턴도 했네요. 남편은 배우예요. 이 계통에서 일한 지는 얼마 되지 않았어요. 전시 기획 일을 오래 하다가, 정말 하고 싶은 일을 찾아 더 늦기 전에 도전하고 있어요.

처음 전화 통화할 때 한국말을 너무 잘해서 놀랐어요.
아버지가 한국인이에요. 어릴 적부터 저한테 한국말을 하셨어요. 전 늘 불어로 대답했지만 한국어를 많이 듣긴 한 거죠. 한국에 와서 아리랑TV에서 일할 때만 해도 한국어가 많이 서툴러서 힘들었어요. 박사학위를 따기 전에 어학당에 6개월 다녔는데 그때 많이 배운 거 같아요. 지금의 남편을 만나 사귀면서도 많이 늘었고요. 그래도 아직 은행 같은 데 가면 모르는 단어는 있어요(웃음).

한국에 온 지 얼마나 되었어요?
10년이요. 한국에 오면서 하고 싶은 게 너무 많았어요. 방송도 하고 싶고 강의도 하고 싶고 친구도 만나고 싶고, 욕심이 많았죠. 낮에는 강연하며 여러 행사에 참여했고 저녁에는 아리랑 라디오 데일리 게스트를 했어요. 정말 바쁘게 지냈어요.

어떻게 그런 스케줄을 다 소화해요?
어릴 때부터 그렇게 자라왔어요(웃음). 다섯 살 때부터 테니스, 수영, 승마, 골프 안 한 운동이 없었거든요. 시합도 많이 다녔고요. 아버지가 테니스 선수였는데 항상 몸과 정신을 관리해야 한다는 마인드가 강했어요. 건강한 아이가 되어야 뭐든 할 수 있다는 육아 방식이었어요. 그때 훈련한 지구력과 끈기가 어떤 분야를 접하든 영향을 미치더라고요. 공부도 결국 체력 같아요. 얼마나 의자에서 버틸 수 있느냐죠. 저는 그걸 운동으로 단련했어요. 제가 연속 강의를 4~6시간 하는데요, 말을 계속해야 해요. 정장을 입고 힐을 신고 서서요. 강의 전에는 PPT도 준비해야 하고요. 이걸 일주일에 세 번 하는데 사실 너무 힘들어요. 어릴 때부터 생활과 운동을 꾸준히 병행했기에 지금도 멀티태스킹을 할 수 있어요. 사실 하루아침에 되기는 힘들어요. 저는 30년 동안 그렇게 살아와서 그 리듬이 맞아요. 컨디션 관리하면서 하죠.

밖으로 내뿜는 에너지가 크면 안으로 채워야 하는 것도 있잖아요.
저는 사람을 만나고 운동을 하면서 에너지를 채우는 편이에요. 혼자의 시간이 자주 필요한 사람은 아니에요. 남편은 그런 시간이 많이 필요한 편이고요. 자기만의 방식을 찾으면 되는 거 같아요. 저는 어릴 적부터 항상 바쁘게 살아왔기 때문에 갑자기 시간이 남으면 허전해요. 무조건 채워야 해요. 어디 가서 친구를 만나든 운동을 하든 해요. 저한테 휴식은 여행이에요. 두 달에 한 번씩 가족과 함께 여행을 꼭 가려고 해요. 그때는 내려놓고 힐링하려고 해요. 사실 요즘은 SNS를 완전히 딱 끊을 수는 없어서 완벽하게 쉬는 것도 아닌 거 같아요(웃음).

솔직하고 자신감 있는 모습이 참 보기 좋아요.
저는 제 삶을 그대로 전달하는 편이에요. 실제로 저를 만났을 때 꾸밈이 없어서 좋아해주시는 거 같아요. 저한테 자유롭고 당당하다고 말해주시는 분들이 많은데, 서로 살아온 문화가 다른 거죠. 프랑스에 비해 한국 교육은 지시와 간섭이 많은 편이긴 해요. 한국에서는 대학 이후에 여성들이 본격적으로 화장하거나 자신을 가꾸기 시작하는데 프랑스에서는 열네댓 살 때부터 자신을 가꾸기 시작해요. 학교 갈 때든 누구 만나러 갈 때든. 그래서 발달 시점이 더 빠른 거 같고, 자신을 드러낼 수 있는 연습이 많이 되어 있어서 더 당당한 거 같아요. 근데 한국에 살면서 좀 신중해졌어요. SNS에도 저를 팔로우 하는 분들이 한국에 많잖아요. 사진과 글도 자제해서 올려요. 완전 자유롭게 살지는 못해요(웃음).

부모님께 프랑스와 한국의 문화를 자연스럽게 보고 배운 거 같아요.
한국 문화를 우리에게 물려준 건 어머니 같아요. 아버지는 한국인이지만 프랑스에서 30년을 살면서 행동은 프랑스인에 가깝거든요. 스킨십도 자연스럽고요. 어머니가 한국어 학자로 한국 문화를 깊숙이 알고 좋아했어요. 우정, 인연, 정, 배려, 예의, 이런 것들을 연구하셨어요. 언제나 예의 바르시고, 남이 뭘 주면 너무 감사하지만 거절도 하시고요. 늘 처세를 잘해야 한다고 얘기하셨어요. 한국 사람보다 더 한국 사람 같아요. 그걸 보며 배웠는데 사실 어머니만큼 잘할 자신은 없어요. 일곱 살 때 한국에 들어왔을 때도 어머니 친구 집에 들러 프랑스 선물을 전하곤 했어요. '지난번에 올리비아한테 재킷을 사다 주셨잖아. 우리도 이 선물을 드려야 해.' 하면서요. 프랑스 사람들도 그런 사람이 있지만 보통 아주 친하거나 가족이 아니면 선물하지 않아요. 그런데 한국은 친하지 않아도 선물을 주잖아요. 외국인들이 그런 걸 참 신기해해요. 그래서 한국인들을 다정하고 따뜻하다고 생각해요.

어머니는 요가도 오래 수련하신 걸로 알아요. 사진집을 본 적 있거든요.
요가를 오래 하시고 명상도 늘 하세요. 저희 집은 아버지가 주로 저와 오빠를 돌봤고 어머니는 평생 워킹맘이었어요. 제가 커리어를 쌓는 건 어머니에게 배운 거죠. 내면의 힘이 누구보다 강한 분이세요. 명상을 하면서 깨달으신 거 같아요. 어머니가 명상하는 모습을 어릴 적부터 봤는데 열네댓 살까지는 관심이 없었어요. 그런데 신기하게 더 크니까 참 훌륭하다는 생각이 들고 저도 요가를 하게 되더라고요. 임신했을 때 정말 열심히 요가를 했어요. 프랑스 사진작가 친구가 한국에 와서 사진집을 함께 내기도 했고요. 명상, 요가 하는 습관은 어머니가 물려준 무의식 습관 같아요. 근데 저는 아직 내면의 깨달음을 얻기엔 시간이 더 걸릴 거 같아요. 지금은 밖에서 에너지를 더 많이 얻고 있지만, 언젠가 한계가 올 거라고 생각해요. 이미 조금 느끼기도 하고요. 그때 가서 '이 고비를 어떻게 넘어가지?' 고민해봐야겠죠.

아버지와 보낸 시간이 많았겠네요.
네. 한국에서 운동 선수였는데 다섯 살 연상의 어머니를 만나 결혼하고 프랑스로 가셨죠. 프랑스어도 못했고, 스포츠인이 할 수 있는 일도 한계가 있었죠. 그래서 빨리 은퇴하시고 저랑 오빠를 키우셨어요. 어머니는 대학교수로 일하시고요. 제가 아버지랑 사이가 좋은 이유도, 많이 힘드셨을 텐데 저희에게 사랑을 쏟아부으셨기 때문이에요. 당시는 한국 음식이나 재료를 파는 곳도 없어서 너무 고생하셨거든요. 제 성격이 아버지 영향을 많이 받았어요. 무척 활동적인 분이에요. 우리가 더 크니까 한인회장도 하시고 해외 입양을 위한 노력도 많이 하셨어요.

어린 시절 한국에서 산 적이 있나요?
여섯 살부터 열 살 때까지 한국에 살았어요. 어머니가 특채로 프랑스 대사관에서 문화정책담당을 맡게 되면서 가족이 모두 한국으로 왔죠. 서래마을 프랑스 초등학교에 다니면서 한국어를 많이 배웠어요. 외국인 환경이지만 학교를 벗어나면 다 한국인이잖아요. 지금도 한국을 너무 사랑하지만 그때 정말 한국을 좋아했어요. 4년 살고 다시 프랑스로 돌아갔을 때 적응하기 힘들 정도로요.

한국이 왜 그렇게 좋았어요?
사람이 좋았어요. 파리는 개인적이어서 친척이나 어머니 친구 몇 명 빼고는 저를 잘 보살피진 않았어요. 근데 한국에 오니 이모들이 챙겨주더라고요. 저를 막 문방구에 데려가더니 원하는 거 다 골라 보래요(일동 웃음). 너무 깜짝 놀랐어요. 생일도 크리스마스도 아니었는데요. 저희 어머니는 한 번도 그런 적이 없거든요. 그래서 스티커 하나 골랐더니, 아니래요. 더 많이 고르래요(웃음). '사람들이 왜 이렇게 착하지? 왜 다 나한테 잘해주지?' 생각했어요. 그리고 환경 자체도 좋았어요. 프랑스에서는 조그만 아파트에 살았는데, 한국에서는 아래에 수영장이 있고, 한 건물 안에 외국 친구들도 많았거든요. 스쿨버스 아저씨도 친절하셨고요. 그때의 작은 기억, 다정한 인상들이 쌓여서 유년 시절 가장 행복한 추억으로 자리 잡고 있어요. 그래서 나중에 한국에 다시 와야겠다는 마음도 들었고요.

중국에도 잠깐 사신 걸로 알아요.
고등학교 때 중국어를 배웠는데 너무 재미있더라고요. 그래서 열심히 공부했고 포기하기가 아까워서 대학교 때 중국어 전공을 하고 석사까지 했어요. 중국은 너무나 궁금한 나라였어요. 집에 한국과 일본 책은 많았지만, 중국에 대한 정보는 없어서 궁금했어요. 신비로웠고요. 실제로 생활하면서 문화적 차이로 어려움은 없었어요. 지금도 좋은 기억을 간직하고 있어요. 그런데 산시성에서 대학교 강의를 1년 했는데 매연이 너무 심해서 힘들었어요. 아침에 일어나 손으로 창문을 만지면 까만 게 묻어 나왔어요. 그때 제가 크리스마스에 가족을 만나려고 프랑스에 갔는데 내리자마자 '피토'를 했어요. 다행히 사스는 아니었고 폐에 실핏줄이 터졌는데 비행기를 타니까 기압 변화 때문에 더 악화된 거였더라고요. 급하게 수술하고, 남은 계약 기간을 채운 뒤 한국으로 오게 되었어요.

익숙함을 뒤로하고 새로운 나라와 낯선 삶에 정착하기란 쉬운 일이 아니에요. 그런 결정을 하게 된 이유가 있나요?
저는 항상 안정보다 도전을 선택해요. 잘하고 싶은 게 많고요. 사람은 계속 발전해야 한다고 생각해요. 항상 저 자신과 다른 것에 관심이 많고요. '배울 점이 많다. 신기하다. 재미있네.' 하고 생각해요. 그리고 어릴 적부터 독립적으로 살아서 어딜 가도 두렵지 않고 자신감이 있었어요. 운동을 오래 해서 "내가 남자한테 져? 나는 싸울 줄도 알고 힘도 센데?" 하는 마음이 있죠.

다른 나라에 간다고 그 문화에 들어가는 건 아닌데요, 적극적으로 교류하고 잘 수용하는 비결이 있나요?
일단 인간관계에서 언어가 가장 중요해요. 언어가 없으면 다

음 단계로 넘어가기가 힘드니까요. 중국 속담에 '입향수속入乡随俗'이라는 말이 있어요. '그 나라에 가면 그곳의 문화나 풍속을 따라야 한다'는 뜻이에요. 제 생각도 같아요. 자기 테두리 안에서 살려면 다른 나라에 가도 소용없고 갈 필요도 없어요. 부딪히면서 배우는 거죠. 저는 외국에 나가면 무조건 외국 친구를 사귀라고 해요. 시간, 돈, 노력, 다 고민하고 가는 건데 그 정도 수고도 안 하면 얼마나 아까워요. 좋은 기회도 많고요. 저는 중국어 배울 때 시장 가서 아주머니들과 수다 떨고 그랬어요. 수업 시간 외에 말을 잘 배울 수 있는 방법이 없었거든요. 머리 자르는 데 가서 친해지고 또 놀러 가고요. 제 성격이 사교적이긴 한데, 그렇지 않더라도 극복해야 해요. 후회 안 하면 괜찮아요. 근데 나중에 꼭 후회를 하더라고요.

올리비아 씨에게 한국은 어떤 나라예요?
기회의 나라요. 한국에 와서 많은 기회를 얻고 잡았어요. 기회가 안 오면 만들면서요. 한국은 어느 도시보다 자기 의지로 성취할 수 있는 도시, 꿈을 성취할 수 있는 도시라고 생각해요. 프랑스와 비교했을 때, 프랑스 사회는 무겁고 고정적이에요. 유동적이지 않아요. 사회가 그러니까 사람 관계도 잘 안 움직이고 이미 있는 관계만 돌아가요. 기회를 잡으려고 해도 어려워요. 한국은 누구에게나 기회가 주어져 있는 거 같고 다이내믹해요. 그 안에서 무언가에 푹 빠져 그 시점을 잡으면 잘 살 수 있는 도시 같아요. 반면에 한국은 프랑스에 비해 타인의 시선을 많이 신경 쓰기 때문에 자유롭진 않아요. 어디에도 휘둘리지 않는 중심이 있어야 하죠. 어떤 사람에게는 너무 좋지만, 누군가에게는 정말 안 맞는 나라 같아요. 저는 한국 하면 '기회, 다이내믹, 움직임, 발달' 등이 연상되는데, 어떤 이는 '사교육, 경쟁, 스트레스, 회식' 같은 걸 떠올릴 수도 있어요. 어느 가치관에 중점을 두느냐의 차이라고 생각해요.

여러 나라와 도시에서 살아봤는데요. 삶에 있어 도시는 어떤 의미인가요?

도시는 자기 일기장의 중요한 포인트, 자기 역사를 그려주는 한 부분이에요. 우리가 살아가고 있는 도시가 그 사람의 정신을 형성해주는 거 같아요. 한국에 살면서 '나'라는 빌딩을 쌓아왔다면 프랑스에 가서 돌 하나를 더 얹고 중국에서 돌 두 개를 얹고, 이런 식으로 히스토리가 쌓이면서 하나의 삶이 되는 거죠. 도시는 제 삶에서 뗄 수 없는 한 부분이에요. 제 경험이기도 하고요. 남이 제 경험을 뺏어갈 수 없잖아요. 프랑스에서 산 20년, 중국에서 산 4년, 한국에서 산 10년. 이건 저만 느끼고 경험한 일이에요. 우리 아이들도 많은 나라를 돌아다니고 여행하고 경험하며, 나중에 커서 자신이 선택한 곳에서 살면 좋겠어요.

다른 나라, 도시에서 살아볼 계획이 있나요?

프랑스에서 꼭 살아보고 싶어요. 제가 태어나서 20년 동안 자란 곳을 남편에게 보여주고 싶거든요. 여름방학 때마다 가긴 하지만 일상생활을 살아보지는 않아서 좀더 깊숙한 문화를 보여주고 싶어요. 그런데 남편이 아버지처럼 고생하길 바라진 않아요. 그래서 보류 중이지만, 아이들 교육 때문에라도 가고 싶긴 해요. 아이들에게 불어를 알려주고 싶거든요. 한국에도 프랑스 학교가 있지만 저는 거길 보낼 수 있는 여건이 안되기도 하고요.

한국에 사는 프랑스 엄마

한국에서 임신, 출산, 육아를 하고 있어요. 문화가 다르다고 느낀 부분이 있나요?

저는 출산 후 산후조리원에 안 가고 바로 집으로 왔어요. 남편과 제가 함께 아기를 낳았는데, 우리가 같이 고생하고 함께 해내야 하는 일이라고 생각했거든요. 저는 그 신념이 너무 뚜렷했고 스스로 증명하려고 했어요. '해보진 않았지만 그냥 하면 되지 않을까? 옛날 엄마들도 다 했는데.' 하는 마음으로요. 주변에서는 "왜 조리원을 안 가?" 하면서 걱정했어요. 여름이라 제가 맨발로 다니면 시부모님이 양말 신어야 한다고 쫓아다니셨고요. 알고 있었죠. 한국이 산모에 대한 우려가 많다는 걸. 하지만 저는 너무 괜찮았으니까요(웃음).

복직은 언제 했어요?

3개월 쉬고 다시 일을 시작했어요. 제가 10개월 완모를 했거든요. 출근하고, 아홉 시부터 열두 시까지 강의를 한 뒤 산모 휴식 공간에 앉아서 유축을 했어요. 그렇게 세 시간마다 한 번씩 유축해 날짜 써서 냉동실에 넣어두고, 저녁 때 집에 가져오는 거예요. 너무 뿌듯했어요. '아이를 위해서 정말 최선을 다했다, 나 엄마로서 참 열심히 살았다.' 같은 거였어요. 남편이 주양육자고 분유를 줘도 되지만, '나도 이렇게 열심히 하고 있어. 우리 같이 키우고 있는 거야.'라는 마음이었어요. 그래서 남편이랑 아이를 키우는 과정이 화목했어요. 가장 힘들지만 좋았던 시기였죠. 또 하고 싶은 마음도 있어요(웃음).

부모님이 양육하던 패턴과 비슷하네요. 아빠가 주로 아이를 돌보고, 엄마는 주로 일을 하고요.

맞아요. 남편에게 참 고마워요. 집에 있는 시간을 어려워하지 않고, 아이들과 관계가 정말 좋아요. 남편과 저는 성격이 달라요. 그래서 잘 맞는지도 모르겠어요. 남편은 아이들에게 위험할 거 같은 일은 저지하는 편이에요. 얼마 전 저희가 소파를 샀는데 아이들이 오르락내리락한다고 혼내더라고요. 저는 좀 어때 그냥 둬, 하며 자유롭게 두는 편이고요.

아이들을 키우면서 기억에 남는 일이 있나요?

제가 루나를 12월에 낳았는데 이듬해 2월에 열리는 평창올림픽에 불어 아나운서를 제안받았어요. 너무 신기한 게 어머니가 88서울올림픽 때 불어 아나운서를 했어요. 30년 시차를 두고 엄마와 딸이 올림픽 아나운서가 될 기회잖아요. 무조건 하고 싶었어요. 모유 수유를 한창 할 때였는데, 마침 남편이 촬영 스케줄이 없어서 다 같이 평창으로 내려갔어요. 지인 부모님에게 용평에 있는 리조트를 빌려서 아나운서 방송을 하러 다녔어요. 메달 타워에서 방송했는데, 쉬는 시간에 내려가서 난로 피우고 유축하고 그랬어요. 날이 너무 추워 젖병을 냉장고에 넣을 필요 없이 바깥 눈 속에 꽂아두곤 했죠. 그 기억이 너무 생생하고 선명하게 남아 있어요. 하지만 아이 낳은 지 얼마 되지 않은 때라 부작용이 있긴 했어요. 몸이 시리더라고요. 좀 무리하긴 했죠. 너무 추웠고요. 하지만 다 추억으로 남아 있어요. 아이들한테도 나중에 얘기해주려고요. 지금까지는 육아를 하면서 최선을 다했다고 생각하는데요, 요즘 또다시 신경 써야겠다고 느끼고 있어요.

어떤 신경이요?

제가 아이를 잘 키우는 걸로 보이겠지만, 되게 건성으로 대답하고 기다리라고 할 때 많거든요. "잠깐만 기다려. 엄마 이메일 보내고 있잖아." 이 말을 너무 많이 하는 거예요. 가끔 애한테 화도 내요. 그러면서 생각해요. '나 지금 뭐 하고 있지? 뭐가 중요한 거지?' 애 잘 때 좀더 놀아줄걸, 삼 분짜리 책 하나 읽어줄걸, 후회하고요. 아이를 아무리 잘 키운다고 해도 누구나 다 비슷할 거예요. 요즘은 그런 후회를 안 하려고 해요. 아이가 엄마를 부를 때 아이에게 모든 시선을 쏟고 최대한 집중하려고 노력해요. '엄마가 나를 이해하려고 하는구나, 사랑하려고 하는구나'를 느낄 수 있도록요. 그런데도 급한 일이 있어서 아이 이야기를 못 들어주면 바로 사과해요. "미안해. 오늘은 좀 바쁜 날이네. 엄마가 아까 중요한 통화를 하고 이메일도 보내고 있었어."라고요. 부모가 1% 달라지면 아이는 99% 바뀐다는 말도 있잖아요. 제가 아주 조금만 노력하면 집안 공기

도 달라지고 아이도 달라져요. 꾸준한 노력이 필요해서 힘든 거 같아요. 지속적으로 해야 하니까 태도와 내공이 쌓여야 해요.

한 인간을 기른다는 게 쉽지 않아요. 의문스럽고 고민되는 일이 계속 생겨요.

정말 그래요. 부모라는 이 직업이 인생에서 제일 힘들고 어려운 일 같아요. 결과물이 바로 안 보여요. 예상을 할 수 없어서 답답하죠. 보통 사업할 때나 목표를 세울 때 A, B, C 플랜이 있잖아요. 근데 교육은 아니에요. 답이 없고 아이들이 다 달라요. 전문가에게 들어도 다 다르니까 부모가 자기 아이를 알고 아이 말을 잘 들어줘야 하는 거 같아요. 아기 땐 귀를 기울였는데, 조금 컸다고 자꾸 나를 이해하길 바라잖아요. 아이들이 원하는 건 부모의 단순한 집중, 자기 말 들어주는 건데…. 저도 요즘 아이들과 있는 시간에는 집중해서 대화를 해보려고 노력해요.

아이들에게 불어를 가르쳐주고 싶다고 했어요.

사실 언어가 중요하다기보다 그 언어에 숨겨진 수많은 표현, 사고력, 표현 방식 문화를 전달하고 싶어요. 언어는 한 부분이고 언어를 통해서 사람들이 어떻게 생각하고 느끼는지를 나누고 싶어요. 언어의 탄생 배경을 알려면 문화를 이해해야 하잖아요. 예를 들어 한국은 '우리'라는 말을 많이 써요. 영어로 쓰면 'my country'인데 한국은 공동체 성향이 단어에 묻어 있어요. 우리 동네, 우리 남편, 우리나라, 대한민국, 단일 민족, 한민족 이런 단어가 문화로 나타나잖아요. 불어도 여성 단어, 남성 단어가 다르고요. 아이들이 불어를 통해 문화를 자연스럽게 접하면 좋겠어요. 제가 불어를 알려줘야 하는데 쉽지 않아요. 루이는 어릴 때부터 제가 불어로 말을 해줘서 알아듣긴 해요. 그런데 아이가 둘이 되니까 밥 먹이고 씻기고 빨리 준비해서 나가야 하는 일이 많아져서 저도 아이들이 잘 알아듣는 말을 하게 되더라고요.

몇 년 전 《프랑스 아이처럼》이라는 책이 아주 많은 관심을 끌었어요. 확실히 두 나라의 교육에 차이가 있죠?

프랑스 교육은 엄해요. 저도 어릴 때 밥은 무조건 식탁에 앉아 먹어야 한다고 교육받았어요. 그리고 제 아이들에게도 그렇게 교육했죠. 근데 어느 날 보니까 제가 한 입이라도 더 먹여보겠다고 따라다니면서 먹이고 있더라고요(웃음). 저희 어머니가 보시면 완전 혼날 텐데 말이죠. 다시 식습관을 들이려고 '여기서 안 먹으면 치운다'고 식사 시간에 식탁에서 못 내려가게 교육하고 있어요. 프랑스는 재산 정도와 상관없이 문화를 접하기가 쉬워요. 프랑스에 사는 제 사촌들도 다 아이가 서너 명이에요. 연봉이 적어도 아이를 키울 수 있는 사회적 지원이 잘되어 있거든요. 한국도 이제 많이 좋아졌어요. 국제 수준이랑 비슷해졌죠. 근데 아이를 안 낳잖아요. 그걸로는 안 되는 거죠. 한국 부모들은 교육 욕심이 있어서 아이를 교육하는 데 돈도 많이 들고요. 인프라를 다르게 해줘야 할 거 같아요. 또 프랑스는 '너는 너의 길을 찾아야 한다. 네가 잘못되면 네가 책임져야 한다.'는 사고방식이 있어요. 아이를 한 인간으로 존중해주고 독립성을 인정해줘요. 한국은 아이가 성인이 되었는데도 부모가 받쳐주고 음식도 해다 나르고, 좀 '오냐오냐' 하는 것 같아요.

올리비아 씨는 아이를 어떻게 교육하고 있어요?

저도 좋은 건 다 시키고 싶어요. 다만 아이 의견을 많이 물어보고 있어요. 태권도보다 수영이 좋다고 하면 그걸 하면 되는 거죠. 하지만 아이가 크는 건 부모가 마음대로 할 수 없다고 생각해요. 교육을 하면 어느 정도까지 될 수 있지만 결국의 자녀의 선택이에요. 자녀의 결혼을 부모가 반대할 수 있을까요? 전 못 해요. 그건 제 삶이 아니잖아요. 성인으로서 스스로 알아서 결정해야지 엄마가 누구랑 결혼해야 하는지 판단 내려줄 수 없다고 생각해요. 저도 스스로 프로그램을 찾아서 유학을 갔어요. '내가 이걸 배우고 싶은데 프랑스 학교엔 없고 미

국 학교엔 있구나. 친구도 저렇게 유학을 가네?' 하면서 장학금을 받을 수 있는지 알아보고 지원해서 갔어요. 스스로 키우면 알아서 찾게 되는 거 같아요. 저도 그렇게 컸기 때문에 저희 아이들도 그렇게 크길 바라죠. 지금은 아이가 어려서 사랑을 심어주고 많이 도와주고 있지만 네가 스스로 자라야 한다는 인식은 줘요. 그러면서 자연스럽게 독립하게 되겠죠.

독립성을 키워주기 위해 어떤 노력을 해요?
저는 아이를 꼭 어린이 공간에만 데려가지 않아요. 성인들만 있는 행사장에도 데려가요. 인간은 사람과 세상에 대한 이해가 필요하다고 봐요. 삶의 대부분은 인간관계에서 결정되는 것도 많고요. 그건 디지털 세대라 해도 변하지 않을 거예요. 사람을 일찍 만나면 두려움을 이겨내고 소통을 잘하지 않을까요? "여기에 왜 아이를 데리고 왔어?"라고 생각하는 분도 있을 거예요. 근데 그건 제가 책임지면 되는 일이에요. 제가 알아서 제 아이를 키우는 거죠. 다양한 경험을 하게 해주는 걸 아이 나이에 맞추려 하진 않아요. 핑크퐁 콘서트에만 가는 게 아니고, 모나리자 그림을 보러 갈 수도 있죠. 세 살이면 어때요? 아름다운 걸 보는 데는 나이가 중요하지 않잖아요. 좋은 걸 보면서 감각을 키울 수 있다고 생각해요. 사실 한국은 어린이 친화적인 곳이 많지 않아서 쉽진 않은데 여러 시도를 하려고 해요.

아이 성향을 보면서 데려가야 할 텐데요.
보통 행사장에 데려오면 아이가 워낙 착하고 순하니까 데리고 다니나 보다 하잖아요. 근데 아니에요. 순한 아이는 없어요. 길러주는 거예요. 선천적으로 비교적 순한 아이는 있을 수 있지만 그 이후는 교육이라고 생각해요. 교육 자체가 집에서만 하는 게 아니라, 모든 환경에서 이루어진다고 생각해요. 아이는 점점 크고 언젠가 만나게 될 세상이잖아요. 아이가 통제가 안 된다고 안 데리고 다니면 점점 더 못 데리고 다닐걸요?

그럼 어떻게 교육해요?
이런 식으로 미리 설명해요. "여기 샴페인도 있고, 그렇게 뛰다가 부딪히면 다칠 수도 있어. 여기 앉아서 핑거푸드를 먹고 있자. 또 원하면 엄마를 불러줘." 제가 옆에 못 있을 땐 "엄마는 여기 있을 테니까 좀 보다가 이리로 오면 돼."라고 얘기해주고요. 얼마 전 루나를 가방 브랜드 행사장에 데려갔어요. 맥주와 공연이 어우러진 행사장이라서 아이를 데려갈까 고민하긴 했지만, '거절당하면 집으로 돌아오지 뭐.' 하면서 갔어요.

도착했더니 밴드가 연주를 하고 라이브 음악이 들리잖아요. 아이가 눈이 동그래졌어요. 밴드 앞에서 너무 신나서 춤을 추는 거예요. '아, 음악이 이렇게 나오는구나. 실제 음악은 이런 느낌이구나.' 관찰하고 경험하는 거죠. 물론 아직 어려서 안아 달라고 하고 보채기는 해요. 그런데 이런 장소에 가면 갈수록 자신이 어떻게 행동해야 할지를 알아가요. 하면 안 되는 것, 하면 혼나는 것도 알더라고요.

밖에 나가면 엄마도 즐겁잖아요.
맞아요. 이게 저한테 맞는 육아예요. 한국에서는 아이를 낳으면 모든 게 다 아이 중심으로 돌아가요. 아이 낮잠 시간에 맞춰야 하고. 그런데 저는 안 그렇거든요. 제 중심이에요. 이기적이지만 그렇게 살아야 엄마가 행복하고 아이를 위해서도 열심히 해줄 수 있어요. 아이가 하원해서 집에 오면 좋을 때도 있지만 스트레스 받을 때도 있어요. 업무가 아직 안 끝났는데 데리고 와서 요리도 해야 하고 아이를 돌보니 더 힘든 거예요. "엄마 이거 해줘." 하면서 1분에 열 번도 더 찾아요. 그럼 '아 힘들다.' 말이 저절로 나와요. 저는 기분 좋게 사람들과 만나고 맛있는 거 먹고 이야기하면 힘이 나요. 아이와도 더 잘 놀아주게 되고요. 아이들도 새로운 경험 하고 저도 할 거 했고요. 사람들은 안 피곤하냐고 하는데 저는 차라리 그게 나아요. 엄마가 좋아하는 걸 하면서 육아를 하는 거예요. 즐겁게 할 수 있는 걸 찾아서 하려고 해요. 힘들면 지금 방식에서 변화를 주고 행동에 옮기는 거죠.

매 순간 후회없이 살려고 노력하는 편 같아요.
저는 제가 하고 싶은 걸 많이 하면서 살았어요. 남편이 결혼 전 일 때문에 정말 힘들어하던 시기가 있었어요. 그때 제가 남편에게 정말 하고 싶은 게 뭐냐고 물었어요. 살도 10키로 찌고 맨날 회식하고 정말 힘들어 보였거든요. 그때 남편이 '배우'라고 하더라고요. 회사에서 일하기 전에 길거리 캐스팅으로 모델 일을 하다가 그만뒀었거든요. 그래서 제가 해보라고 했어요. 저는 이게 너무 중요하다는 걸 알아요. 꿈이잖아요. 결과가 어떻게 되든 해보지도 않는 거와는 큰 차이가 있죠. 제가 이렇게 얘기하고 지원할 수 있는 이유가, 저는 하고 싶은 일, 이루고 싶은 목표를 거의 이루며 살아왔어요. 달성하면 또 다른 목표를 세우면서요. 물론 저도 쉬운 결정은 아니었어요. 근데 고민할수록 '그래도 해야지.'라는 생각만 들더라고요. 하고 싶은 건 하면서 살아야하니까요.

요즘 잘하고 싶은 건 뭐예요?
어릴 때 하던 골프를 요즘 다시 하고 있는데, 세미프로가 되고

싶어요. 골프는 자기 스스로 성장하고 가꿀 수 있는 스포츠예요. 다른 운동보다 특히나 지구력이 필요해요. 그래서 하루아침에 절대 이룰 수 없는 운동이고, 제가 저 자신을 위해서 이뤄내고 싶은 목표예요. 지금도 잘하고 있는 걸 알지만 조금 더 저 자신에게 보여주고 싶어요.

육아를 마칠 때 어떤 마음이 들었으면 좋겠어요?
저는 부모는 아이의 거울이라는 말을 믿어요. 아버지가 늘 저를 친구처럼 대했어요. 어릴 때부터 '친구야' 그랬어요. 어머니와도 돈독했고요. 지금도 어머니와 '우리 여행 가자.' 하고 둘이 떠날 수 있는 건 어린 시절부터 쌓아온 관계가 있어서 가능한 거죠. 저는 부모님과의 좋은 관계가 유산이라고 생각해요. 그래서 이걸 제 아이들에게도 잘 물려주고 싶어요. 제가 부모님만큼 잘할 수 있을까 하는 고민은 있지만요. 아이들이 커서 '엄마가 우리 가족을 위해 최선을 다했구나'라는 걸 알아준다면 너무 감동할 거 같아요.

가족의 꿈도 궁금해요
먼저, 남편이 하고 싶은 일을 잘했으면 좋겠어요. 그리고, 아이들이 너무 크기 전에 1년이라도 프랑스에서 살고 싶어요. 꼭 프랑스가 아니더라도 제가 일을 쉬고 오롯이 아이들만 보며 시간을 보내고 싶어요.

WE ARE LEARNING FROM EACH OTHER EVERY DAY

이윤진 가족

에디터 김현지 포토그래퍼 Hae Ran 어시스턴트 김재은 헤어·메이크업 박은주 의상 협찬 NilbyP, Bonpoint, Tambere

티브이와 행사장에서 봐온 소을과 다을은 예의 바르고 차분한 아이들이었다. 침착한 엄마를 짐작한 내게 "얘네들은 제 분량을 앗아가는 '분량'배들이에요." 라며 소탈하게 웃는 윤진 씨. 인터뷰가 시작되자 이방인으로 살아온 유년 시절, 자기 일에 대한 애정, 두 아이를 키워온 이야기를 스스럼없이 쏟아냈다. 걸어온 걸어온 경로는 몸과 마음에 경험이라는 이름으로 흩어졌고, 호기심과 유연함은 아이들에게 스며들었다. 가족은 서로에게 배운 태도로 세상을 살아갈 것이다.

INTERVIEW
이윤진 | 통·번역가

집이 참 예뻐요. 인테리어에 관심이 많은가 봐요.
공간 꾸미는 걸 좋아해요. 결혼 전에도 장롱이나 책상을 시즌마다 옮기고, 일할 때는 사무실 책상을 바꿔보는 걸 좋아했어요. 이 소파는 색상을 하나 사서 배합할 수 있고, 다 빼면 침구로도 쓸 수 있어 실용적이에요. 친구들 오면 뛰어놀 수 있고, 공간을 활용하는 게 재미있어서 거실 중앙에 놓았어요. 서재는 제작해서 만들었어요. 아이들 방 벽에 레고판을 붙여 두었는데, 완구 코너에서 세일할 때 산 거고요. 뭔가를 검색하고 찾아서 구석구석 제 손으로 가꾸는 게 즐거워요. 벽난로 위에 그림은 친정엄마에게 받은 거예요. 결혼하실 때 6자 병풍을 만드셨대요. 어릴 적부터 예쁘게 보다가 제가 결혼할 때 가져와서 액자로 다시 만들었어요. 4자는 안방에 헤드로 놓고, 한 자는 여기 있고, 한 자는 보관했어요. 나중에 소을이 결혼할 때 주려고요.

요즘 어떻게 지내고 있어요?
한 달에 두세 번 강연 나가고, 인플루언서라는 타이틀로 광고를 찍거나 티브이에 나오기도 해요. 조만간 브랜드와 함께 유튜브 채널을 만들 계획도 있어요. 아이들과 어우러지는 엄마의 모습을 보여줄 거예요. 하지만 저의 주된 일은 영어를 한국어로 옮기는 번역과 무대에서 하는 통역이에요. 아이 낳고 기억력도 감퇴되고, 새로운 말도 점점 생겨나죠. 그래서 매일 책 한 페이지라도 읽고 노트에 옮겨 적으려고 노력해요.

강연이라면, 어떤 주제인가요?
교육에 관한 내용이에요. 처음엔 제가 뭘 말할 수 있을까 걱정되었어요. 강연에서 전할 수 있는 걸 찾으려고 저를 돌아보니 대학과 대학원에 다니면서 학생들에게 영어를 가르친 경험이 떠올랐어요. 그때 아이들을 가르치면서 학원에 많이 보내기보다 정서를 키우는 시간이 중요하다는 깨달음을 얻었거든요. 엄마들 만나서 이런 제 경험을 얘기하면서 서로 알아가고 배워야겠다는 마음으로 시작했어요. 아이들과 지내면서 저도 같이 읽고 쓰고 해요. 그렇게 알게 된 어플리케이션 정보를 나누고 활용법도 소개하고요. 저희 동네는 이렇게 가르치는데 그쪽 동네는 어떤가요, 묻기도 해요. 소통한다고 생각하니까 더 많이 배우게 되는 거 같아요.

규칙적이지 않은 일을 하면서 두 아이를 키우다 보면 변수가 많지요. 일과 육아 사이에서 어떻게 균형을 잡나요?
프리랜서로 이런저런 일을 하다 보니 잘하는 건 하나도 없다는 생각이 들 때가 있어요. 갑자기 일이 생겨서 친정엄마께 아이들 맡기고 일하러 다닌 적이 있었어요. 아이들이 불안해하더라고요. 저도 마음이 편하지 않았어요. 그때 느낀 게 저는 아이와 가정이 우선인 사람이더라고요. 우선순위를 정하면 소을, 다을이가 먼저예요. 일을 하다가도 아이들에게 무슨 일이 있으면 "죄송합니다." 말하고 달려올 거 같아요. 주변에서 '너 되게 옛날 사람 같다'고 해도 제 마음이 편하면 그게 일 순위잖아요.

육아 예능 티브이에서 소을이 다을이를 우애 좋은 남매로 기억하는 분들이 많아요. 오늘도 남매가 참 잘 노네요. 촬영하기도 편하고(웃음).
둘이 잘 지내는 편인데요, 여느 집처럼 하루에 열두 번씩 싸워요. 내가 쓸 걸 왜 네가 썼냐고 싸우고, 다을이가 놀자고 했는데 누나가 싫다고 해서 싸우고, 다을이 목소리가 너무 크다고 다투고, 난 티브이가 한 번 봤는데 넌 왜 두 번 보냐, 난 5분짜리 봤는데 넌 왜 10분짜리 보냐 다투고…. 이런 거죠(웃음). 계속 싸우고 계속 사랑하고 그래요. 안 친하면 싸울 일도 없잖아요. 제일 무서운 건 무관심이니까요. 저는 솔직한 편이에요. 미안하면 미안한 거고, 잘못하면 잘못한 거고, 화가 나면 화를 내는 게 제 성격이에요. 저는 가족이 서로 지켜야 할 중요한 태도 중 하나가 서로 무언가 숨기지 않기라고 생각해요. 저희 집은 부모든 아이든 문제가 있을 때 빨리 인정하고, 빨리 사과하고, 빨리 해결하려고 해요. 트러블이 있으면 이야기하고, 잘못한 게 있으면 풀어야죠. 우리는 빨리 화해하는 가족이에요(웃음).

방송에서 본 범수 씨도 잘 기다려주는 아빠 같던데요.
저는 밥 먹다가도 하고 싶은 거 하게 풀어주는 편이라면 남편은 "먹을 땐 안 돼." "인사 잘해야지." 등 규칙과 예절을 잡아줘요. 제가 언어나 놀이를 챙긴다면 남편은 그림, 수학을 아이들과 함께하고요. 저는 이런저런 일을 하다 보니 지구력이 없는 편인데요, 남편은 서재에서 다섯 시간 동안 책만 볼

수 있는 사람이에요. 저의 다양성과 남편의 인내심을 잘 조율할 수 있는 아이들이 되면 좋겠어요.

아빠를 어려워하진 않나요?
아빠가 대장이라고 생각하죠. 권위는 있지만 무서워하진 않아요. 다을이는 요즘 아빠를 너무 좋아해요. 아, 이거 보여드릴까요? 다을이랑 아빠가 채집한 곤충을 박제한 거예요. 곤충을 잡아 오면 친정엄마가 박제를 해서 하나씩 액자에 넣어주시거든요. 다을이랑 아빠는 성격도 잘 맞아요. 꼼꼼하고 차분해요. 아빠가 든든한 친구를 만났구나 싶어서 다행이에요.

부부 사이는 어때요?
저희가 결혼한 10년 차 되어가요. 지금까지는 제가 남편에게 많이 맞췄다면 이제는 남편이 저한테 맞춰주려고 해요. 저는 예전부터 존경할 수 있는 사람과 살고 싶었어요. 어떤 한 부분, 제가 못 가진 점을 가진 사람이요. 남편은 25년 동안 한 가지 일을 꾸준히 하고 소나무같이 단단하고 흔들림 없는 사람이에요. 가끔 답답할 때도 있지만 든든하기도 해요. 제가 힘들어서 하소연하면 중심을 잘 잡아주는 편이고요. 혼자 육아를 하는 시간이 많긴 한데 누가 강요해서 결혼하고 아이 낳은 게 아니잖아요. 다 제가 사랑하는 사람들이니까 그리 힘들거나 거부감이 있지 않아요.

두 아이들 성격도 참 달라 보여요.
맞아요. 소을이가 더 활발하고, 즉흥적으로 무언가를 잘하고, 겁이 없어요. 다을이는 계획대로 하는 거 좋아해요. 레고를 던져주면 다을이는 순서대로 박스에 있는 모양처럼 하는 아이고, 소을이는 '이건 표본이고 나는 이렇게도 할 수 있잖아.' 하고 다르게 시도해보는 편이에요.

성별도 성향도 다른 두 아이를 키우다 보면 의문이 생기기도 하잖아요. 그럴 땐 어떻게 해요?
저도 저 자신을 잘 모를 때가 많아서요(웃음). 저도 엄마 말 안 들었는데, 아이들이 제가 살라는 대로 살까요? 자기가 원하는 대로 살겠죠(웃음). 이게 맞나 싶을 때는 순간순간 아이들에게 많이 물어봐요. 오늘 뭘 접했는지, 어떤 친구를 만났는지, 학교에서는 친구랑 무슨 얘기를 했는지, 같은 것들이요. 늘 대화하고, 문제가 생겼을 때도 엄마에게 얘기해줄 수 있으면 좋겠어요. 순간 옳고 그름을 판단할 수 있길 바라는데, 부모와 이야기하면서 그런 부분을 깨우칠 수 있다고 생각해요.

아이들을 계속 알아간다는 얘기로 들려요.
고맙게도 소을이는 조금 껄끄러운 게 있으면 항상 다 얘기하는 편이에요. "엄마 오늘 이런저런 일이 있었는데, 내 잘못은 이거였던 거 같아. 근데 나도 이런 건 억울해." 하고요. 그럼

저도 "그래 너도 그건 억울하겠지만 이런 건 또 이렇겠다. 그래도 엄마가 한 번 객관적인 상황을 들어볼게."하면서 서로 이야기할 시간을 갖죠.

솔직하게 이야기를 나누네요. 최근 아이들이랑 나눈 진솔한 대화가 있다면요?

다올이가 좋아하는 친구에게 선물하려고 뭘 쓰더라고요. 그러면서 물어요. "이걸 받아줄까?" 옆에서 제가 "봉투에 담는 게 더 낫지 않니?"라고 했더니 "엄마, 여자들은 봉투에 담는 걸 좋아해?… 누나 스티커 좀 몰래 써볼까?" 해요. "그냥 엄마가 썼다고 할게. 써." 하면서 잘 만들어 갔어요. 하원하고 "잘 전해줬어?"라고 물으니 "행복한 하루였어."라고 하더라고요(웃음). 깊게 캐내면 싫어하니까 잘 줬나 보다, 생각했어요.

너무 귀여워요(웃음). 또 얘기해 주세요.

얼마 전에는 제가 아이들한테 혼났어요. 술을 한 잔도 못 하는데 와인을 마시고 조금 힘들어했어요. 아이들이 봤을 땐 약간 충격이었나 봐요. 다음 날 다올이가 저를 혼내더라고요. 자신도 유튜브를 그만 볼 테니, 엄마도 술 마시지 말래요. 못 마시니까 마시면 안 된다고요. 맞죠. 그러겠다고 약속했어요(웃음). 가족 구성원으로 소통하니까 서로 지킬 건 지키고 아닌 건 아니라고 말할 수 있는 대상이라고 생각하는 거 같아요.

아이들에게 안 된다고 말하는 기준이 있나요?

위험한 거요. 그게 아니고서야 웬만한 건 허용해줘요. 거실에서 물을 붓고 물놀이를 하려고 하면 여기서 하면 엄마가 치우기 힘드니까 화장실에 가서 하라고 하죠. 완전히 할 수 없게 한다기보다 틈을 마련해주는 편이에요. 이제 애들도 엄마는 위험하지만 않으면 하게 해준다는 걸 알아요. 그래서 몰래 하지 않아요. "엄마 이거 해도 돼요?"라고 물어보고 위험한지 아닌지 허락받고 하는 습관이 있어요. 너무 고맙죠.

동영상 시청도 제한하지 않는 편이에요?

스스로 통제할 수 있는 자제력이 없는데 노출이 많은 거 같아 고민이긴 해요. 근데 미디어를 막을 순 없잖아요. 컴퓨터나 전자기기로 공부하는 세대고요. 먼저 차단하기보다 아이들이 스스로 판단하게 해요. "보다가 유해한 게 있으면 엄마한테 꼭 알려줘. 그건 너희 잘못이 아니야. 어른들이 그렇게 나오게 만들어놓은 거라서, 엄마가 너희들 머릿속 바이러스를 막아줘야 해."라고요. "엄마, 어떤 사람들이 뽀뽀하는 게 나와." 하면서 가져오면 "음… 이 정도는 괜찮아." 하고 검열을 해주죠. 막는다고 어떻게 막겠어요. 보려면 다 보죠. 막으면 몰래

하니까 그게 더 무서워요. 막으면 막을수록 더 하고 싶은 게 사람 심리잖아요.

맞아요. 정보를 잘 선별하는 훈련이야말로 꼭 필요한 교육 같아요. 그 외에 아이들에게 알려주고 싶은 삶의 태도가 있나요?
자생력이요. 예전에 〈스타킹〉이라는 프로그램에서 '영어킹'이라는 프로젝트에 참여한 적이 있어요. 마술을 하는 친구인데, 영어를 한마디도 못 해서 해외에 진출할 수 있는 기회를 다 놓치는 거예요. 거기서 저랑 영어 연습을 했는데, 자기가 너무 잘하고 싶은 일이 있으니까 해내더라고요. 그 아이를 보면서 느낀 게 영어를 잘한다고 해외에 진출하는 게 아니에요. 자기가 정말 하고 싶은 게 있으면 공부는 하게 되어 있어요. 다만 성인이 되어서 하려는데 베이스가 없으면 힘들잖아요. 베이스를 탄탄히 쌓아주고, 앉아서 무언가를 진득하게 할 수 있는 습관을 길러주는 게 중요하지 않을까 생각해요. 나중에 하고 싶은 게 생기면 스스로 할 수 있도록요. 지금은 순간순간 관심 있어 하는 일이 있으면 경험해보고 있어요.

어떻게요?
많이 보고 다양한 사람과 어울리도록 해줘요. 그 속에서 자기가 채워가는 게 있으면 좋겠고요. 제가 가방 브랜드에서 일할 때 소을이는 가구 공장, 시장에 함께 갔어요. 패션위크, 뉴욕 패션쇼에도 동행했고요. 모든 과정을 다 알 수 있는 아이들이 되면 좋겠어요. 팬시한 것만 좋은 게 아니라, 그 팬시한 것이 되기 위해 물건이 어떻게 만들어지는지도 알아야 하고, 허상이 무엇인지도 알아야 해요. 또 허상이라는 가치가 왜 붙는지도 알아야 하는 거잖아요. 어릴 때부터 계속 보다 보면 어른이 되면 감으로 알 수 있을 거 같아요.

정말 좋은 배움이네요.
얼마 전 소을이 학교에서 영어 오픈 클래스를 했어요. 고맙게도 잘하는 반에 들어갔는데, 애들이 영어를 참 잘하더라고요. 수업이 끝나고 나서 소을이가 자연스럽게, "엄마 이리 와봐." 하더니 "Mr ooo, This is my mom." 하고 선생님께 저를 소개해주더라고요. 소을이는 저랑 같이 촬영도 하고 사회생활을 하면서 선생님께 엄마를 소개해주는 게 너무 당연한 거죠.

뿌듯했겠어요. 아이들은 영어를 어떻게 배우고 있나요?
말의 기술보다는 문화를 익히는 수단으로 공부하고 있어요. 다을이는 무료 사이트에 들어가서 자료들을 활용해요. 소을이는 저랑 외국 어린이 잡지 인터뷰를 찾아봐요. 아리아나 그란데를 좋아해서 같이 노래 듣고요. 어디 가다가 외국인 친구 있으면 서로 얘기해보라고도 하죠. 언어는 지속적인 노출이 가장 중요한 거 같아요.

세상에 쓰임이 되는 사람이기를

이번 주제가 도시예요. 어린 시절 살아온 곳에 대한 이야기를 좀 해주세요.
아홉 살에 아빠 일을 따라 인도네시아 자카르타에서 살았어요. 마당이 있는 조그만 집에서 지냈어요. 영어로 수업을 하지만 정말 많은 나라 아이들과 공부를 했어요. 일본인, 인디아, 백인도 많고 정말 다양한 문화를 접하는 환경이었어요. 기억나는 건 집 근처에 미니버스를 운전하는 현지인 아저씨가 사셨어요. 퇴근하고 청소하시는데, 제가 서성대니까 궁금하면 와보라고 하시더라고요. 버스 안에서 놀고 그랬어요. 저는 궁금하면 해보고 사람들이랑 친해지는 거 좋아하거든요. 사람 안 가리고 뛰어놀았어요.

적응하는 데 어렵진 않았어요?
인도네시아에 간다고 해서 처음에는 '알리바바와 도둑' 같은 곳에 가나 싶었는데, 평범한 도시였고 저만 알파벳을 모르는 아이였던 기억이 나요. 수업 시간에 S를 썼는데 2처럼 써서 애들이 까르르 웃으며 놀렸어요. 집에 와서 "나만 이거 몰라." 하면서 울던 기억이 있어요. 그 시절의 경험 덕분인지 저는 어딘가에 던져져서 부딪히면서 적응하는 일에 익숙한 거 같아요.

여러 언어도 접했겠네요.
아버지가 프랑스어에 조예가 깊어요. 방과 후에는 저를 프랑스 문화원에 보냈어요. 영화도 보고 놀이도 했지만 대부분 성인이어서 재미가 없었어요. 도망갈 궁리만 했었는데 몇 달이 지나니까 귀가 트이고 말이 트이더라고요. 그때부터 고등학교까지 그곳에 다녔어요. 지금 와서 생각해보면 계속해서 여러 언어에 노출시키고 공부할 수 있는 환경을 만들어주신 부모님께 참 감사해요. 자녀교육을 무엇보다 최우선으로 여기셨던 것 같아요.

꿈은 뭐였어요?
티브이 보는 걸 좋아했어요. 청소년 드라마 〈나〉를 보면서 한국 생활을 동경했거든요. 티브이에 크게, 오래 나오는 게 꿈이었어요. 그래서 한국 대학교에 갔고, 스물세 살에 아나운서가 되었죠.

다른 나라에 산다고 그 문화를 쉽게 받아들일 수 있는 건 아니잖아요. 어떤 마음가짐이 도움이 될까요?
내려놓기요. 보통 '내가 여기서 잘 살아야지, 여기서 어떤 걸 해야지' 마음먹고 가잖아요. 근데 그게 어떻게 다 되겠어요? 그걸 너무 채우려고 하다 보면 힘들어요. 모르는 건 물어보면 돼요. 나는 이런 사람이고 이런 거 하고 싶은데 도와달라고, 알려달라고 하면 자연스럽게 잘 어울릴 수 있어요. 얼마 전 영국 분을 만날 일이 있었어요. 미국인은 "그레잇! 굿잡!"이라고 하는데 영국인은 "메그니피센트Magnificent"라고 하더라고요. 저도 영어를 오래 했지만, 아직도 모르는 건 물어봐요. 그러면서 배우는 거죠. '나는 너희랑 똑같이 잘해.' 그러면 오히려 거부감을 느끼는 거 같아요. 조금만 자존심을 내려놓으면 다른 문화도 잘 받아들일 수 있다고 생각해요.

살아보고 싶은 도시가 있나요?
아직 한달살기는 안 해봤는데 이번 겨울에 도전해볼까 해요. 남편이 기러기 아빠는 원치 않는다고 해서 당장 외국에서 오래 사는 건 힘들 거 같아요. 언젠가 스위스에서 살아보고 싶어요. 꿈이 있는 건 좋은 거 같아요. 제가 한국에 가서 일하고 싶다는 꿈을 안고 열심히 공부한 게 좋았던 것처럼 스위스에서 살고 싶다는 꿈을 가지고 살고 있어요.

가정도 중요하지만 자신을 지키기 위한 노력도 하실 거 같아요.
건강을 신경 써요. 예전에는 편의점에서 한 끼 사 먹고 버틴 적도 있었는데 나이를 먹으면서 좋은 음식 잘 먹어야겠다 싶어요. 많이 먹는 것보다 무엇을 먹느냐가 중요하다고 생각하고요. 운동도 열심히 해요. 필라테스, 탄츠플레이도 하고 친구들과 등산도 가요. 잘 먹고 운동 잘하고 좋은 사람 만나면 건강할 거라 생각해요. 그리고 일주일에 한 번, 두 시간 동안 프랑스어를 배워요. 제가 하니까 소올이도 관심을 가지더라고요. 그래서 제가 마치면 한 시간씩 수업하고 있어요. 다을이도 흥미로운지 괜히 옆에 앉아 있고요. 저는 자연스럽게 호기심을 느끼고 배우는 게 참 좋아요.

어떻게 나이 들고 싶어요?
어떻게 하면 잘 늙을까를 늘 고민해요. 친정엄마는 제가 바쁘고 힘들다고 툴툴대면 그런 말씀을 하셨어요. "윤진아 세계 어디서 너를 부르든, 너를 필요로 하는 일이 있다는 건 감사한 일이야."라고요. 저는 제가 갖고 있는 재능으로 세상에 쓰임이 되는 사람이 되면 좋겠어요. 지금 한 글자라도 붙잡고 번역하는 이유도 할머니가 되어 이 세상 어디 살아도 할 수 있는 일이기 때문이에요.

어린 시절 그랬던 거처럼 어디서든 잘 적응하며 지낼 거 같아요.
그 마음으로 하루하루 열심히 살려고 해요. 살다 보면 좋은 일 나쁜 일 생기겠죠. 항상 살면서 느끼는 건 생각지도 못한 좋은 일, 나쁜 일도 생기는데, 나쁜 일이 생기면 '운이 없다.' 좋은 일이 생기면 '당연하다'고 생각하는 거 같아요. 계획하지 않았는데 좋았던 일은 뭐가 있었지 생각해보려고 해요. '누굴 만났지? 생각지도 않았던 일이 생겼네. 좋았던 일이 이렇게 많았구나. 감사하다.' 하면서요. 계획은 열심히 살게 하는 원동력이 돼요. 하지만 계획대로 안 되면 너무 좌절이 크니까 큰 틀은 정해놓되 좀 유연하게 살아가고 즐겁게 살려고 해요. 인생 뭐 있나요(웃음).

HOW TO GET INTO
A NEW WORLD

그림책 작가 염혜원

처음은 언제나 두렵다. 아니 한 단어로 설명할 수 없다. 호기심, 걱정, 부끄러움, 기대, 모두가 뒤섞인 기분이니까. 《수영장 처음 가는 날》은 아이의 '처음'을 담은 책이다. 토요일마다 수영장에 가는 거라고, 빨간 동그라미가 쳐진 달력이 말하고 있지만 아이는 배가 아프다. 내키지 않지만 그렇다고 가고 싶지 않은 것도 아니다. 옷을 갈아입고 천천히 그곳의 문을 연다. '우와, 여기는 온통 낯선 세상이구나.' 시원하고 시큼한 냄새, 피부를 스치는 차가운 공기, 안으로만 울리는 웅성이는 소리. 아이는 가장자리에서 대상을 관찰한다. 조금씩 안으로 들어오다 뒤로 물러서다, 천천히 발 하나를 담근다. 자신도 모르는 사이 익숙해지고 그 세계를 받아들인다. 그리고 그 대상이 존재하는 방식으로 세상을 바라본다. 밖에서만 바라보던 수영장을 물속에서 유영하면서, 서서 올라다보기만 했던 하늘을, 몸을 쭉 펴고 물 위에 떠 바라보면서. 아이는 그렇게 자신의 경계를 넓혀간다.

INTERVIEW

염혜원 | 그림책 작가

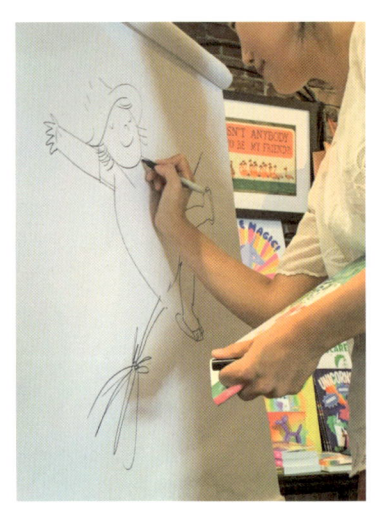

대학에서 서양화과를 졸업하고 대학원에서 판화를 공부했으며, 뉴욕 스쿨 오브 비주얼 아트에서 일러스트레이션을 공부했다. 지금은 뉴욕 브루클린에 살면서 그림책 작업을 활발하게 한다. 《어젯밤에 뭐 했니?》로 볼로냐 라가치 픽션 부문 우수상을, 《야호! 오늘은 유치원 가는 날》로 에즈라 잭 키츠 상을 받았다. 그 밖에 쓰고 그린 책으로 《수영장 가는 날》《우리는 쌍둥이 언니》 등이 있다.

날씨가 많이 추워졌어요. 이번 주 어떻게 보냈어요?
감기에 걸려 계속 고생하고 있고, 그림책 여러 권을 동시에 작업하고 있어서 좀 바쁘기도 하네요. 스케치 작업 중인 것도 있고, 파이널 작업을 시작해야 하는 책도 있고요. 그래도 며칠 전에는 잠시 한가한 틈을 타 한국 소설책 네 권을 사서 이틀 내내 읽기도 했어요.

대학 졸업 후 한국에서 촉망받는 판화가였잖아요. 뉴욕으로 건너간 이유가 있나요?
촉망받는 판화가는 아니었던 것 같은데요(웃음). 한국에서 대학원을 다니면서 그림책 일러스트를 몇 권 작업했는데 그때 일러스트레이션을 본격적으로 공부해보고 싶은 마음이 생겼어요. 대학원 졸업 후 결혼을 하면서 남편과 함께 유학을 오게 되었죠.

그럼 첫 그림책을 미국에서 낸 건가요?
'스쿨 오브 비주얼 아트'에서 일러스트레이션을 공부하면서 졸업 작품으로 만든 그림책이 운 좋게도 FSG 출판사에서 출간되면서 미국에서 그림책 작업을 계속하고 있습니다.

《뉴욕타임스》에도 그림을 그렸죠?
《뉴욕타임스》의 북리뷰 섹션에 1년에 한 번씩 어린이책 특별판이 나오는데 그 커버를 두 번 맡아 그렸어요.

《우리는 쌍둥이 언니》, 《쌍둥이는 너무 좋아》는 작가님의 경험을 토대로 만든 책이라고 알고 있어요. 따뜻하고 다정한 감성을 보면, 사랑을 많이 받고 나누며 자랐을 것 같아요.
너무나 화목한 가정에서 사랑 듬뿍 받으며 자랐어요. 어릴 때 가정이 아주 넉넉하진 않았는데 큰 부족함을 느끼지 않으면서 자랐어요. 부모님이 애를 많이 쓰신 거 같아요. 서울 가장자리에 있는 동네들은 두루 섭렵하며 살았는데, 그래서인지 늘 산이 가까이 있었어요. 주말마다 아빠랑 산에 가고, 토요일 오후엔 커튼을 닫고 온 식구가 낮잠을 자다가 저녁 먹고 동네 산책을 하던 기억이 지금도 따뜻하게 남아 있어요. 딸이 셋인 집이라 늘 시끄럽고 저녁 밥상에서 서로 얘기하려고 다투기도 했고요. 세 딸 모두 아직도 아빠를 엄청 좋아해요. 어릴 때 매일 저녁 초콜릿이나 아이스크림을 사들고 오셔서 그런지도 몰라요. 엄마는 《쌍둥이는 너무 좋아》에 나오는 엄마처럼 자주 이불 홑청을 뜯어 빨아 풀 먹여서 이불을 만들어주셨고, 책도 많이 읽어주셨어요. 태어날 때부터 쌍둥이 언니가 항상 함께 있어서 그런지 혼자 어디 다니는 걸 아직도 싫어해요. 언니랑 매일매일 인형 놀이 하고 놀았어요. 친구가 따로 필요 없는 자족적 형태의 가족이었죠.

한국에서 태어나 자랐는데, 출산과 육아는 미국에서 하고 있네요. 낯선 곳에서 아이를 키우고 기르는 게 녹록하지만은 않을 거 같아요.
네, 임신해서 뉴욕으로 이사를 왔거든요. 혼자 적응하기도 버거운데, 엄마 노릇까지 하려니 정말 힘들었어요. 제가 일찍 아이를 낳은 편이라 아기 엄마 친구들도 없고, 원래 사교적인 성격도 아니라 매일매일이 낯설기만 했죠. 아기도 잘 안을 줄 몰라서 아기 떨어뜨릴까 봐 걱정도 많이 했고요. 그래도 학교

보낼 때가 되니 아이의 사회생활에 함께 참여하면서 저도 조금씩 엄마 친구가 생겼어요. 같이 그림책을 자주 읽으면서 그림책 공부와 더불어 영어 공부도 함께 했고요. 아이가 있어서 덜 외로웠어요. 생각해보면 아이에게 도움을 많이 받았어요.

사는 곳이 바뀌면서 달라진 점이 있다면요?
좀더 여유로워졌어요. 다른 사람들과 섞여 살다 보니 서로를 비교하기도 쉽지 않아서일까요? 있는 그대로 인정해주는 법을 배운 것 같아요. 한국에서 바로 왔을 땐 그저 다르다는 점만으로도 저 혼자 벽을 만들고 힘들어했어요. 다른 걸 옳고 그름의 잣대로 자꾸 보려 했었는데, 여기 오래 살면서 저도 많이 바뀌었어요. 동성 부모 가정이나 다문화 가정, 입양으로 이루어진 가정도 아름답고 좋아 보여요.

아이들에게 환경의 영향은 더 클 텐데요.
아이들은 자신의 정체성에 대해서 더 많이 고민하는 것 같아요. 인종 문제를 생각하지 않을 수 없죠. 한국에서도 사회적 계층 문제나 정치적 성향 차이 등을 고민하지만 여기선 너무도 분명하게 자신의 껍질이 다르니까요. 계층 문제에 더해서 인종 문제까지 피부로 체감하죠. 아시안으로 사회 안에서의 자신의 위치를 좀더 어릴 때부터 민감하게 느끼는 것 같아요.

《야호! 오늘은 유치원 가는 날》은 두 아이에게 바치는 책이라고요. 작가님이 바라본 강이, 산이는 어떤 아이들이에요?
강이는 남들을 많이 배려하고 (제 입으로 말하기 민망하지만) 마음씨가 따뜻해요. 엄마까지 잘 이해해주죠. 좋아하는 음식이 타코와 스시라 일본계 멕시칸이라 불립니다(웃음). 산이는 정말 재미있고 유쾌하고, 자기 의견도 분명하고, 제 절친이에요. 제 첫 번째 독자이기도 해요(강이가 첫 번째 독자였는데 애가 나이가 들어서 감이 많이 떨어졌더라고요). 젤 좋아하는 음식은 카레!

《야호! 오늘은 유치원 가는 날》에서 보면 새로운 세계로 나아갈 때 엄마가 아이보다 더 겁이 많아요. 때론 아이들의 무모함에 엄마도 용기를 내곤 하는데요. 작가님의 경험인가요?
늘 아이들을 통해 용기를 얻어요. 제가 워낙 겁쟁이예요. 뭔가 새로 시작하는 것에는 더 겁을 내는데, 엄마니까 어쩔 수 없이 당면해야 되는 일들이 있잖아요. 처음 가는 학교, 선생님과 하는 면담(왜 늘 떨리는 거죠?), 첫 번째 슬립 오버, 여름 캠프, 그런 일들을 같이 겪으면서 저도 함께 성장하고 배우는 것 같아요. 저는 항상 뭘 시작하기 전에 혼자 걱정을 엄청 많이 해요. '어떡하지, 어떡하지.' 이러면, 강이랑 산이가 괜찮다고 그냥 하면 된다고 오히려 토닥여주고 손을 잡아줘요. 그럼 또 그게 그렇게 위로가 돼요. 《야호! 오늘은 유치원 가는 날》의 상황은 매일 같이 우리 집에서 벌어지는 일이에요(웃음).

제 아이는 작가님 책 중 《수영장 가는 날》을 특히 좋아해요. 함께 읽으면서 제가 겪은 처음, 두려움이 생각나서 감정 이입이 되었어요. 아이도 같은 걸 느낀 거 같더라고요.
제 책을 좋아해준다니 고맙네요. 늘 첫발을 내딛는 게 힘들죠. 그렇지만 일단 발을 담그고, 익숙해지고, 시간을 들인다면 두려움이 즐거움으로 바뀔 수 있잖아요. 너만 두려워하는 건 아니라고 세상의 동료, 겁쟁이 어린이들에게 말해주고 싶었어요.

ⓒ어젯밤에 뭐했니?

두려움을 조금 더 깊게 들여다봤더니 수영장은 또 다른 세계라는 생각이 들었어요. 아이가 수영장 가는 날에 배가 아프지 않게 되는 일이 자신이 머물던 경계를 넘어서는 일로 느껴졌고요. 그 대상과 서서히 익숙해지는 거죠. 대상을 수용하는 순간, 대상이 세계에 존재하는 방식으로 세계를 엿볼 수 있게 되잖아요. 미국에 정착하는 일도 그런 과정과 비슷하지 않았을까 추측해봤어요.

그렇게도 볼 수 있겠네요. 수영장에 들어가기 전까지 옷을 갈아입고, 줄을 서고, 수영장 벽에 붙어 있다가 수영장 가장자리까지 다가가요. 다시 거기서 발을 담그고, 머리를 담그면서 아주 조금씩 새로운 세계로 들어가는 거죠. 가끔씩 뒤돌아서 나가고 싶기도 하고요. 그러다가 물속으로 들어가 물에 떠서 보면 세상이 완전히 다르게 보이잖아요. 저도 그렇게 한발 한발 천천히 미국 생활에 적응한 것 같네요.

책에서 선생님과 엄마의 기다려주는 자세도 인상적이었어요. 아이의 세상이 넓어지면서 성장에도 어떤 변곡점 같은 게 있어요. 엄마의 품을 벗어나 유치원에 가고, 친구가 부모보다 가까운 사이가 되고, 사춘기를 겪는 일 같은 거요. 기다려주면 좋다는 걸 모르는 건 아닌데, 막상 내 일이 되면 아이를 기다려주고 그대로 받아들여 주는 일이 참 힘든 것 같아요(웃음).

미국에 살면서 아이들을 수영장에 보낼 때 그걸 느꼈어요. 저는 어릴 때 수영 선생님들이 무지막지하게 무서웠거든요. 일단 물에 빠뜨리면 알아서 살아남는다는 모토를 가지고 계셨는지, 깊은 물에서 숨이라도 쉬려고 나오면 막 다시 물에 밀어 넣고…. 공포의 수영 하는 날이었어요. 그런데 여기 와서 애들 수영 수업을 따라갔는데 반년이 다 되어도 물장구만 치고 계속 놀게 하는 거예요. 처음엔 이건 좀 아니지 않나 하는 생각도 들었는데 어느 순간 다들 수영을 잘하더라고요. 저처럼 물을 무서워하지 않고 막 첨벙첨벙 뛰어들고요. 저도 애들한테 매일 빨리하라고 하고, 못 기다리는 편이긴 한데, 애들을 키우면서 보니까 혼자 안달해 봤자더라고요(웃음). 어쩔 수 없어요. 아이들을 그대로 받아들이는 수밖에….

대부분의 이야기에 아빠가 등장하지 않아요. 이유가 있을까요?
제 이야기를 주로 써서 그렇겠죠. 가장 잘 아는 걸 쓰게 되니까요. 그래서 이번 새 책은 아빠와 아기를 주인공으로 써봤는데 너무너무 힘들었어요. 제가 아빠(남편)를 잘 이해하질 못해서 그런 것 같아요. 남편 말에 따르면 제가 다른 사람 처지는 참 잘 이해해주는데, 남편만은 전혀 이해할 생각이 없다고 하더라고요(웃음). 또 가족의 모습이 한 가지는 아니니까요. 엄마만 있는 집도 있고, 엄마가 두 명인 집도 있고, 할머니만 있을 수도 있고…. 가족이 어떤 모습이어야만 한다는 고정관념은 미국에 살면서 많이 없어진 것 같아요. 모든 가족이 똑같은 모습으로 나오는 것도 은연중에 '이런 가족이 정상 가족이다.'라는 걸 말하는 것 같아서 《수영장 가는 날》에도 엄마는 금발 머리, 딸은 검은 머리로 그렸어요.

엄마와 나눈 대화, 유치원, 물웅덩이 등 아이들의 시선으로 심리 변화에 따라 그림책이 흘러가요. 평소 아이들의 감정, 일상의 작은 요소, 순간들을 잘 관찰하는 편인가요?
여기서 아이들이랑 대부분의 시간을 보내다 보니 아이들의 감정, 일상의 작은 순간을 잘 관찰하게 된 것 같아요. 매일 함께 놀다 보니 그렇게 되더라고요(웃음).

책을 보면서 평범하게 일궈낸 하루도 이렇게 빛날 수 있구나, 깨달았어요. 중요하게 생각하는 삶의 태도가 있나요?
호기심을 잃지 않고 살아가고 싶어요. 계속해서 어떻게 살아갈 것인지 고민하고 찾아가면서 다른 사람 이야기에 귀 기울이는 유연한 사람으로 살고 싶어요.

ⓒ물웅덩이로 참방!

요즘 관심사는 뭐예요?
히키코모리, 들꽃, 메릴린 먼로. 늘 집에만 있고 작업도 집에서 하니까 제가 혹시 히키코모리가 되는 게 아닌가 걱정이 되기도 하고 최근에 관련 뉴스들도 많이 보게 되어서 히키코모리에 갑자기 관심이 생겼어요. 들꽃은 이번 여름부터 너무 예뻐서 그려보고 싶었어요. 사진을 열심히 찍고 있는데 아직 그림은 시작도 못 했어요. 요즘 조이스 캐럴 오츠의 《블론 Blonde》를 읽고 있어서 메릴린 먼로도 새로 보게 되네요.

《수영장 가는 날》, 《야호! 오늘은 유치원 가는 날》, 《우리는 쌍둥이 언니》, 《쌍둥이는 너무 좋아》에서 한국의 정서를 느꼈어요. 그런데 미국에서도 좋은 리뷰를 받으셨죠. 그 점이 그림책의 힘 같아요. 우리가 다른 지역, 다른 시간대, 다른 날씨 속에 살지만 함께 공감하고 비슷한 감정을 느낄 수 있잖아요. 다양한 인종, 문화가 섞인 곳에서 그림책 작가로 지내다 보니 더 가깝게 체감할 거 같은데, 어떤가요?
점점 다양성에 대해 많이 생각해보고 있어요. 미국에서도 다양성을 가진 그림책들을 더 많이 출판하려는 시도들이 있고, 그에 대한 수요도 커졌어요. 처음에는 동양인이라서 같은 동양인의 글에 일러스트레이션 작업을 하는 게 좀 꺼려지기도 했어요. 왠지 작가로서 스스로 범위를 좁히는 건 아닐까 하는 염려도 있었고요. 그러다 《A Piece of Home》이라는 책에 일러스트레이션 작업을 하게 되었어요. 한국에 살던 가족이 아빠 일로 미국에 와서 자리를 잡고 적응하는 이야기예요. 작가인 제리는 미국 학교에 전학온 한국 아이를 보고 글을 썼대요. 작업하면서 깊이 공감했고 감동받았어요. 저도 미국에 와서 제3세계 작가나 이민자들, 여성 작가들의 책을 많이 읽으면서 공감할 수 있었거든요. 당연히 아이들도 나랑 비슷한 모습의 사람들이 그림책에 나오면 더 가깝게 느끼고 공감할 수 있을 거라고 생각해요. 그림책이 그런 면에서 다양성에 접근하기가 쉽잖아요. 시각적으로 바로 보이니까요. 까만 머리에 작은 눈을 가진 아이들도 노란 머리나 빨간 머리 아이들만큼이나 책 표지에 많이 나왔으면 해요. 그럼 어린이들이 '이건 내 얘기야.' 하고 공감하기 쉽지 않을까요? 그렇다고 이야기 자체가 꼭 한국인만의 얘기이거나 이민자의 얘기만은 아니에요. 보편적인 스토리고 어디에서나 일어날 법한 일이죠. 그러면 다양성을 가진 이야기지만 보편적 공감을 얻을 수 있지 않을까 생각해요.

그동안 쓰고 그린 책은 주로 밝고 다정한 이야기였어요. 작가로서 이야기나 스타일의 범위를 더 넓혀가고 싶은 욕심도 있을 거 같아요.
지금까지 그림책만 그려왔는데, 조금 긴 이야기를 쓰고 싶은 생각이 들어요. 그림책 작업만 하다 보니 그림책 포맷에 익숙

해져서 쓰고 싶은 이야기들도 그림책 형태로 생각이 나서 쉽진 않지만요. 소설 책 읽는 걸 정말 좋아해서 성장소설을 꼭 한 편 쓰고 싶은데, 그러기엔 제 능력이 많이 부족한 것 같아요. 매년 '올해는 매일매일 글을 조금씩이라도 쓰겠어.'라고 생각하는데 생각뿐이네요. 게다가 미국에 살다 보니 영어도 제대로 하는 건 아니고, 한국말조차 쓰던 단어가 점점 줄어드는 것 같아요. 맞춤법도 잊는 것 같아서 언어 문제도 고민이 많아요. 지금까지 다섯 살 수준의 영어로 책을 썼지만 열두 살 수준의 영어로도 책을 쓸 수 있을까 고민도 되고요.

작가님 책의 대부분이 미국 시장에 먼저 나오고 한국으로 수출되는 경우 같아요. 미국의 출판 환경은 어떤가요?
미국 시장이 한국에 비하면 훨씬 크죠. 초판 부수도 많이 차이 나고요. 그런데 출판하기까지 시간이 꽤 오래 걸려요. 그림을 완성하고도 1년 정도의 시간이 걸리죠. 그사이 리뷰어들에게 책을 보내 리뷰도 받아야 해서 그런 것 같아요. 제가 올 초에 완성한 책이 내년 봄에나 나오는 식이에요.

미국은 그림책과 도서관 프로그램, 서점이 연계가 잘되는 편인가요? 어린이들이 그림책을 누리는 환경이 궁금해요.
도서관마다 다르기는 하지만 도서관에서 그림책 읽어주는 프로그램은 어디 가나 있고, 작가들도 가서 책도 읽어주고 수업도 하는 프로그램들도 있어요. 1년에 한 번씩 어린이책 페어 행사를 하는 도서관들이 많아요. 동네 도서관도 어디를 가나 어린이 그림책 코너가 꽤 커서 항상 거기 가서 아이와 많은 시간을 보내곤 했어요. 동네 서점들도 마찬가지고요. 매주 스토리타임이 있어서 책을 읽어주고 작가들도 신간이 나오면 가서 어린이들에게 책을 읽어줘요. 그림도 그려주고 사인도 해주죠.

지금 작업 중인 책이나 앞으로 나올 책이 궁금해요.
지금 작업하고 있는 책은 《Grandpa Across The Ocean》이에요. 2021년에 Abrams Books에서 출간 예정이고요. 미국에 사는 손자가 여름에 한국 할아버지 집에 가서 일어나는 이야기예요. 그리고 내년에 《Lion Needs a Haircut》이라는 책이 미국과 한국에서 동시에 출간 예정이에요. 그 책은 이발하러 가기 싫어하는 아기 사자와 아빠 사자의 이야기예요. 그 책의 주인공으로 또 다른 이야기를 구상하고 있어요.

앞으로 다른 나라에서 살아볼 계획이 있나요?
다른 나라에서 살아보고 싶긴 한데, 쉽진 않겠죠. 지금 한 동네에서 16년째 살고 있어서 다른 동네로 이사 가고 싶기도 한데, 좀 기다렸다가 애들이 커서 나가면 여기저기 돌아다니면서 살까 봐요(웃음).

마지막으로 가족이 이루고 싶은 꿈이 궁금해요.
우리 아이들과 저의 꿈이라면 강아지를 키우는 건데요. 결사 반대를 외치시는 분이 한 집에 계셔서 꿈이 이뤄질지는 모르겠네요(웃음).

THE REASON FOR FALLING IN LOVE WITH THE CITY

우리가 이 도시와 사랑에 빠진 이유

여행이 미지의 도시를 즐기는 일이라면 거주는 그 틈새를 비집고 들어가야 하는 일이다. 여행자에게 마냥 친절했던 도시가 이방인에게는 냉담히 돌아설 수 있기에 해외 이주에는 단단한 각오가 필요하다. 그렇게 용기를 품고 떠난 이들은 그곳에서 무엇을 보고, 무엇을 얻을까? 각기 다른 곳, 다른 사정으로 떠난 다섯 가족에게 답을 들었다.

에디터 이다은

엄마가 되고 나서 더 사랑하게 된 곳

이탈리아 로마에 사는 김민주 가족

당신은 누구이며 어디에 살고 있나요?
로마살이 15년 차 김민주입니다. 여섯 살 류이안, 두 살 류이도 남매의 엄마, 가신(가이드의 신) 류재선의 아내, 그리고 글을 씁니다. 올해 초 첫아이를 낳고 키우며 5년간 썼던 글이 《로마에 살면 어떨 것 같아?》라는 제목으로 출간되었어요. 경력 단절의 두려움, 육아의 고충, 이방인 엄마의 막막함을 토로하고 싶어 글을 쓰기 시작했는데, 지금은 좀더 직업이라는 마음가짐으로 임하고 있어요.

가이드로 지낼 때 이탈리아 여러 도시를 다니셨을 텐데, 로마를 선택한 이유가 궁금해요.
직업 덕분에 이탈리아 사람들보다 더 구석구석 이 나라를 다녀본 것 같아요. 현재 제가 몸담은 유로자전거나라 이탈리아팀은 피렌체, 밀라노, 베네치아에도 지점이 있지만 일을 시작한 2006년은 정말 초창기였기 때문에 투어 프로그램은 모두 로마가 베이스였어요. 그래서 자연스럽게 로마에 자리 잡게 되었어요.

15년을 그곳에서 살았으니 이제는 한국이 더 낯설게 느껴질 것 같아요.
한국이 낯설어진 지는 오래되었어요. 익숙한 풍경이 거의 없죠. 한국말을 쓰고 가족이 있는 곳인데도 오히려 외국 같아요. 작년 휴가 때는 가족 모두 한국에 갔다가 물갈이를 했어요. 한국에서 물갈이라니, 체질도 변해버렸구나 싶더라고요. 어느 순간부터 남편과 저는 한국은 물론 어느 나라에 가도 이탈리아만 한 곳이 없다고 입버릇처럼 말하곤 해요. 일 년 내내 여름만 기다릴 만큼 이탈리아의 길고 긴 여름휴가도 이제는 너무 익숙해요. 여기 사람들은 매년 같은 곳으로 휴가를 가는데 처음에는 그게 이해가 잘 안 됐어요. 그런데 우리가 그렇게 되더라고요. '매번 같은 곳에서 뭐 할 게 있어?'라고 생각할 수 있는데 익숙하니까 오히려 아무것도 안 해요. 아침 먹고 해변에 가고, 점심 먹고 해변에 가고, 매 끼니 뭐 먹을까 생각만 하다 돌아와요. 신기한 건 그런 날들이 많은 걸 한 날들보다 더 기억에 남는다는 거예요. 이젠 아무것도 안 하는 계절 없이는 못 살아요.

아이들은 방과 후에 주로 무얼 하며 시간을 보내나요?
정규 수업은 한 시 사십 분에 끝나지만 두 아이 모두 유치원, 초등학교에 네 시 반까지 있어요. 정규 수업 이후에 유치원 아이들은 학교 정원에서 놀거나 교내 스포츠 수업을 신청할 수 있어요. 학습에 관련된 방과 후 과외 활동은 없다고 봐야 하고, 거의 스포츠 활동을 해요. 첫째는 주 2회 축구 학교를 가고, 집 근처 어린이 서점에서 매주 책을 읽어줘서 거기에 놀러 가기도 해요.

아이들이 현지 친구들과 무척 친밀해 보여요.
이곳에 살면서 좀 의아했던 게 성인이 되어서도 어릴 적 친구들과 긴밀한 관계를 형성하고 있다는 점이었어요. 그런데 아이를 키워보니 이해가 되더라고요. 아이가 다니는 초등학교에는 어린이집과 유치원이 함께 있고, 반도 하나뿐이에요. 반과 담임이 바뀌지 않기 때문에 초등학교 5년 동안 같은 선생님, 같은 반 친구들과 생활하는 거죠. 첫째는 13개월에 어린이집을 다녔으니 걷기 전부터 친구가 된 거예요. 이제 겨우 초등학교 1학년인데 이미 5년을 함께한 거잖아요. 앞으로 초등학교 5년도 같은 반, 거기에 중학교도 같이 가는 분위기이니 아이들이 돈독할 수밖에 없어요. 학부모끼리도 무척 가깝고요. 거의 같이 키우고 있는 거예요(웃음). 나이 상관없이 모두 친구가 되고 할아버지, 할머니, 부모, 심지어 베이비시터와도 친해요. 여기 사람들이 이사를 잘 안 가는데, 이곳 정서이기도 하지만 무엇보다 아이 학교를 옮기는 게 쉽지 않겠더라고요. 한 호흡으로 키운다고 해야 할까요?

언어를 어떻게 가르쳐야 할지 고민도 많았을 것 같아요.
아이들은 집보다 학교에서 머무는 시간이 더 많고 이탈리아 친구들이 훨씬 더 많으니까 이탈리아 말은 어떻게든 하게 되는 것 같아요. 다만, 학교에 간다고 뚝딱 이탈리아 말을 할 수 있는 건 아니에요. 교육기관에 다니기 전에는 거의 한국말만 들었으니까요. 길에서 이탈리아 사람을 매일 봐왔다고 해도 직접 부대끼는 것과는 큰 차이가 있어요. 초반에 언어나 교우 관계 때문에 학교 적응에 힘들어하는 아이들도 많아요. 그래서 저와 남편은 지역 축제나 어린이 행사를 최대한 찾아다니고 현지인들을 만날 기회를 많이 만들어줬어요. 고맙게도 아이들이 별다른 거부감 없이 잘 따라와 주었죠.

집 안에서와 밖에서 다른 언어를 쓴다는 데에 아이들이 혼란스러워하지는 않았나요?
엄마, 아빠가 각각 다른 언어를 쓰는 상황이라면 아이는 본능적으로 더 편한 언어 하나를 선택하기 때문에 두 가지 언어를 모두 익히기가 쉽지 않을 거예요. 다행히 저희는 엄마, 아빠가 모두 한국인이니 집에서 쓰는 언어가 하나로 통일되어 아이가 큰 혼란이 없었고, 바깥에 나가면 또 이탈리아어를 쓰니까 자연스럽게 두 언어가 공존하게 됐죠. 게다가 첫째는 저와 이탈리아에서 모든 처음을 함께 했기 때문에 유대감이 강하고, 무엇보다 한국말을 좋아해요. 그런데 둘째는 자유분방하고 말도 늦네요. 둘째도 자유자재로 두 언어를 하게 될지는 지켜봐야겠어요. 아이들은 정말이지 다 다르더라고요.

성인이 되어 이주를 하는 것도 어려운 일이지만 이안이와 이도는 타지에서 태어나고 자라는, 또 다른 삶을 살아야 하잖아요. 부모로서 걱정되는 부분도 많을 것 같아요.
아이가 좀더 크면 이런 걸 명심하라고 말해줄 수 있겠지만 아직은 없는 것 같아요. 어느 나이대까지는 학교생활을 제외하고 아이가 접하는 대부분의 경험들이 부모에 의해 좌우되니까요. 지금은 아이가 아니라 부모가 마음을 굳게 먹는 것이 맞아요. 하지만 그 시기가 지나면 홀로 서야겠죠. 이 나라 사람이 아닌 이상 인종차별, 정체성의 혼란은 피할 수 없어요. 모든 상황을 부모가 해결해주고 미리 막아주는 것도 불가능하고요. 그 상황을 어떤 마음가짐으로 만나야 하는지는 정말 어려운 문제지만 제가 내린 답은 이거예요. '부모가 좋아하면 아이도 좋아한다.' 너무 교과서적인 답이지만 우리가 이 나라에 사는 걸 즐기고 이 나라 사람들을 좋아하면 아이도 그걸 보고 배울 거라고 생각해요.

이런 특수한 상황에서 아이들에게 어떻게 중심을 잡아주려고 하나요?
아이들은 이탈리아를 사랑해요. 이탈리아 사람들과 친구들을 좋아하고, 여기서 누리는 많은 것을 즐겨요. 한국도 좋아해서 한국에 휴가를 가면 거기서 또 열심히 즐기죠. 지금은 한국말을 더 잘하지만 이탈리아 교육을 받고 있으니 어느 순간 뒤집힐 거예요. 한국에 대한 애정이 있다면 한국어도 계속 가져가게 되겠죠. 우리의 몫은 아이들이 두 나라를 모두 사랑할 수 있도록 최선을 다해 행복하게 사는 거예요. 두 삶이 모두 행복하면 어디에서든 겪을 수밖에 없는 역경에도 크게 흔들리지 않을 거라고 믿어요. 아이가 한국을 사랑하면 한국인이기에 겪을 문제들에 상처받지 않고 좋은 한국을 알리기 위해 노력할 거고, 이탈리아를 사랑하면 그들이 무지로 인해 행하는 행동들이 안타까워 알려주고 바꾸려고 노력할 거예요.

작가님 글에서 이안이의 유치원 선생님 이야기를 봤어요. 인종차별적인 언행 때문에 사건이 있었다고요.
유치원 크리스마스 공연 때 아이가 중국인 역할을 하게 되었는데, 율동에 눈을 찢는 동작이 있었어요. 고민하다가 담임에게 이야기했지만 그 동작이 우리에게 인종차별로 받아들여진다는 걸 잘 이해하지 못했어요. 그래서 교장을 찾아가 담판을 지었죠. 확실한 건, 한국 사람들이 이탈리아에 대해 잘 모르듯이 이탈리아 사람들도 한국과 한국 사람들에 대해 거의 모른다는 거예요. 제 주변만 해도 평생 한국 사람을 단 한 명도 못 만나본 사람들이 수두룩해요. 요즘 한국 티브이에 나오는 외국인들을 보면 그들이 생각하는 한국의 장단점이 우리가 생각하는 것과 다를 때가 많잖아요. 그만큼 애초에 전혀 다른 정서를 가진 사람들인 거예요.

그런 사건들을 겪고 의견을 적극적으로 표현하기까지 무척 큰 용기가 필요했을 것 같아요.
앞서 말했듯이 그들은 우리가 말해주기 전까지는 절대 몰라요. 불만, 분노, 기쁨, 고마움까지 말로 하는 것이 중요해요. 우리 자신을 알리기 위해, 그들이 우리를 이해할 수 있게 돕기 위해서요. 침묵은 불만 없음을 뜻해요. 절대 알아서 배려해주고 바꿔주지 않아요. 제가 아이 문제로 이야기하러 갔을 때 교장이 그랬어요. "말해줘서 고맙다. 우리에게 정말 필요한 이야기였다. 이야기해주기 전까지 정말 알지 못했다." 그리고 같은 반 엄마는 이런 말을 해줬죠. "우리는 악의를 품고 있기 때문이 아니라 다른 문화에 익숙하지 않아. 갈 길은 여전히 멀어. 하지만 너와 너의 용기로 우리는 더 나은 변화를 보게 될 거야."

그런데도 그 도시에 긍정적인 이미지를 품고 있다는 건 친절한 사람들이 존재하기 때문이겠죠. 그곳과 그곳의 사람들을 사랑하는 이유가 무엇인가요?
처음엔 이탈리아가 좋았는데 지금은 이탈리아 사람이 더 좋은 것 같아요. 지난주 아들 생일 파티가 있었어요. 반 친구들을 초대해 치른 첫 생일 파티였어요. 생일 이틀 전 같은 반 아이 엄마가 사진을 보냈는데 가족들이 함께 우리 아이 생일 파티에 장식할 풍선을 만드는 모습이 담겨 있었어요. 외국에서의 삶이 물론 어려움도 많지만 이 나라와 이 사람들이 우리 가족을 소중하게 생각한다고 느끼는 순간들이 매일 생겨요.

따뜻한 애정이 느껴지네요. 그곳은 엄마로 살기에도 괜찮은가요?
저는 두 아이를 키우면서도 직업 덕분에 정말 많은 나라를 여행했어요. 그런데 낯선 이가 아이들을 보고 사랑스럽다고 말해준 곳은 이탈리아뿐이에요. 도움을 요청하지 않아도 알아서 유모차를 같이 들어주고, 아이가 길 가다 넘어지면 길에 있는 모든 사람들이 멈춰 서서 아이를 걱정해주었죠. 버스에서 우는 아이를 버스의 모든 승객이 달래려 노력한 곳도, 임신을 하고 길을 가는데 지나가는 사람들이 축하한다고 말해주는 곳도 이곳뿐이었어요. 세련된 곳, 깨끗한 곳, 질서 정연한 곳, 발전한 곳, 많은 곳을 여행했지만 그 어떤 나라에서도 해보지 못한 경험이었어요. 나의 나라 한국에서조차요. 아이를 키우면서 가장 고마운 건 우리 아이를 바라보는 애정 어린 눈길이고, 무엇보다 간절한 건 난감할 때 내밀어주는 손길이잖아요. 게다가 전 이방인 엄마고요. 이 나라를 좋아했지만 사랑하게 된 건 엄마가 되고부터예요.

RECOMMENDED PLACE AROUND ROMA

프레제네Fregene 해변의 Singita 클럽
"로마 근교의 바닷가 마을 프레제네에는 Singita라는 해변 클럽이 있어요. 여름날 늦은 오후에는 이곳으로 향해요. 해변에 천을 깔고 앉아 디제이 노래를 들으며 칵테일을 마시는 동안 아이들은 주스를 마시며 모래성을 쌓아요. 아이들의 웃음과 사람들의 수다가 해변을 채우고, 여기서 바라보는 석양은 정말 끝내줘요. 해변의 모두가 서서 바다를 응시해요. 춤을 추기도 하죠. 아이는 매년 아빠 어깨 위에서 여름밤을 만나요. 우린 이 순간을 위해 여름을 기다려요."

그란 사소Gran Sasso
"그란 사소는 거대한 바위라는 뜻이에요. 11월부터 4월까지 눈이 쌓여 있죠. 겨울 스포츠로 유명한 곳이지만 우린 여름에 더 많이 가요. 엄청 시원하거든요. 산을 오르면 숲이 아니라 구릉지를 만나게 돼요. 너무나 고요하고 척박한데 그만큼 아름다워요. 마치 어느 이름 모를 행성에 닿은 기분이에요. 또, 그곳에는 끝도 없이 양꼬치를 굽는 숯불이 펼쳐져 있어요. 이탈리아에 오면 꼭 산에서 양꼬치를 맛봐야 해요! 이탈리아를 대표하는 건 피자가 아니라 양꼬치구나 싶을 정도예요."

정말 마음에 드는 집을 찾아서
호주 브리즈번에 사는 전지은 가족

당신은 누구이며 어디에 살고 있나요?
호주 브리즈번에서 남편과 곧 12개월이 되는 딸 로하와 함께 살고 있는 전지은입니다. 호주의 독특하고 실용적인 제품을 소개하는 '굿데이레밍Gooddayreming'이라는 작은 온라인 스토어를 5년째 운영하고 있어요.

호주에 살게 된 과정이 궁금해요.
한국에서 대학교를 졸업한 후, 지금 살고 있는 브리즈번에서 대학원 과정을 마쳤어요. 공부할 당시에는 호주에 정착할 생각이 없었는데 졸업 후 한국에서 직장 생활을 하고 결혼까지 하게 되면서 외국에서의 삶에 대해 조금 더 진지하게 생각하게 되었죠. 다행히 그때의 제 경력과 호주 내의 학력이 영주권 신청 조건과 맞았어요. 한국에서 영주권을 신청해 승인받은 후 몇 년간 차근차근 이민을 준비했고, 9년 전쯤 남편과 함께 호주로 이주했어요.

동네가 무척 한적하고 평화로워 보여요. 간단히 소개해줄 수 있나요?
브리즈번 정착 후 얼마 되지 않아 우연히 오게 되었는데, 바다가 있는 정취가 너무 마음에 들어서 계속 여기에서 살고 있어요. 집에서 10분만 걸어가면 바로 바닷가로 갈 수 있고, 바닷가 산책로 주변엔 가족들과 아이들을 위한 바비큐 시설, 물놀이가 가능한 놀이터와 수영장, 낚시를 할 수 있는 지점과 애완견을 위한 공원도 있어요. 도심에서는 흔하지 않은, 바다를 끼고 있는 동네라서 자연을 즐기기에 참 좋아요. 이곳에 살면서 큰 불편함은 느끼지 못했지만, 그래도 단점을 꼽자면 한국인을 포함해 아시안이 많이 살지 않는 동네라 아시안 마트나 맛있는 아시안 식당을 가려면 조금 거리가 있는 동네로 가야 한다는 점이에요.

여행자가 아닌 현지인으로 흡수되기까지 많은 시행착오가 있었을 것 같아요.
여행이 아닌 거주를 생각했을 때 가장 많은 시행착오를 겪는 부분이 자신과 맞는 동네를 선택하는 게 아닐까 싶어요. 동네마다 고유의 특성이나 분위기, 장단점이 있는데 그런 정보를 찾을 수 있는 소스가 한정적일 수밖에 없으니까요. 저희도 처음 브리즈번에 왔을 때는 편의성을 고려해 시티 근처 아파트에서 몇 달 생활한 적이 있었는데, 저희의 라이프 스타일과는 맞지 않아 지금 동네로 옮기게 되었거든요. 이 동네로 온 이후에도 정말 마음에 드는 집을 찾기 위해 몇 번씩이나 이사했어요.

'정말 마음에 드는 집'의 조건은 무엇이었나요?
지금 집을 구입하기 전에는 로하를 임신하기 전이었지만 자녀 계획이 있었기 때문에 아이가 놀 수 있는 수영장이 있는 이층집을 염두에 두었어요. 그 전에는 바닷가까지 차로 15분 정도 거리에 있는 집에 살았었는데 아이가 있으면 바다와 좀더 가까운 게 좋겠다 싶어 바닷가까지 걸어서 갈 수 있는 거리의 집을 고려했고요. 제가 요리와 살림을 좋아하니 오픈된 주방과 넉넉한 수납공간도 조건 중 하나였어요. 호주에서 대표적인 주택 형태라면 아파트나 유닛, 타운하우스, 그리고 하우스가 있는데, 저희는 모든 형태의 주택에 다 살아보았어요. 아파트, 타운하우스 두 곳과 단층 주택, 그리고 지금 살고 있는 이층 주택까지요. 매매 과정을 몇 번 반복하고 직접 관련 전문가를 찾아다니며 얻은 정보들이 쌓이다 보니 주변 지인 중에 처음 집을 구입하시는 분들을 도와드리는 경우도 생기더라고요. 그럴 때는 '아, 우리가 이곳에 사는 게 꽤 익숙해졌구나.' 하는 생각이 들어요.

육아가 어렵고 힘에 부칠 때 현지에서는 어떻게 극복해 나가나요?
육아를 하면서 궁금한 부분이 있거나 도움이 필요한 경우에는 자녀가 있는 호주의 이웃들이나 패밀리 닥터 등 전문가들에게 조언을 구하는 편이에요. 호주엔 육아도 천천히 하는 분들이 많아서, 제가 조급하게 생각하거나 염려하는 부분이 있더라도 금세 여유가 생기더라고요.

사람들이 대체로 느긋한 편인가 봐요.
브리즈번은 365일 중 350일이 맑고 쨍하기 때문에 선샤인 시티라는 별명이 있어요. 밖에서 한가롭게 보낼 수 있는 주변 환경 때문인지, 현지인들의 특성으로 가장 많이 꼽는 것이 'easy-going'이에요. 사전적 용어로는 '느긋하고 태평하다'라는 뜻으로 쓰이지만, 실생활과 연결해본다면 여유롭고 까탈스럽지 않다는 뜻이 더 적절할 것 같아요. 그건 내 삶뿐만이 아니라, 상대방에 대해서도 조금 느긋하게 생각하며 기다려주고 배려해줄 수 있다는 말이기도 하잖아요. 브리즈번에 온 지 얼마 되지 않아서 버스를 탄 적이 있는데, 그때 예상치 않은 도로 문제로 버스가 30분 동안 서 있던 적이 있었거든요. 그런데 정말 신기하게도 버스 안에 계시는 어떤 분도 내리거나, 버

스를 옮겨 타거나, 불만을 표시하거나 하는 분이 없었어요. 그냥 문제가 해결될 때까지 차분하게 각자 일을 하면서 기다리더라고요. 그때 정말 신선한 충격을 받았어요(웃음). 개인적으로 이런 모습과 삶의 태도를 정말 좋아하고, 이런 점이 처음 호주에 정착할 때 시드니나 멜버른 같은 더 큰 도시가 아닌 브리즈번을 선택한 이유이기도 해요. 우리가 살고, 내 아이가 살아가는 곳이 사람들 간의 배려와 쉬어감이 있는 곳이면 좋겠다고 생각했거든요.

해외에 쭉 거주할 수 있는 동력이 궁금해요.

어떤 상황에서도 여유를 가지는 마음이요. 종류는 다르겠지만 어느 곳에 살든지 어려움과 고됨은 언제든 있잖아요. 호주를 낯선 타지라고 생각하지 않고 지금 우리가 살아가고 있는 곳이고, 앞으로도 살아갈 곳이라는 마음으로 서두르지 않고 찬찬히 하루하루를 보내다 보니 9년이라는 시간도 어느새 훌쩍 지나간 것 같아요.

호주에서 아이를 낳고 키울 계획이 있는 부부에게 당부하고 싶은 것이 있나요?

자신이 유년 시절을 보내지 않은 곳에서 자녀를 낳고 양육하다 보면, 경험의 부재나 정보의 제한에서 오는 불안감이 더 쉽게 생기는 것 같아요. 그러다 보면 조급해지고 결국 내가 알고 있는 틀 안에 갇히게 될 가능성이 크고요. 자녀가 호주에서 커가면서 나도 함께 커 간다는 마음으로, 새롭게 경험하는 모든 것들을 가족이 함께 부딪히며 하나씩 배워가면 좀더 즐겁게 생활할 수 있지 않을까요?

RECOMMENDED PLACE IN BRISBANE

사우스 뱅크 South Bank
"시티에서 다리 하나만 건너면 있는 사우스 뱅크는 박물관과 아트 갤러리, 주립 도서관 등의 문화 시설이 있는 곳이에요. 또 멋진 시티뷰를 보며 물놀이를 즐기는 인공 비치와 다양한 어린이 물놀이 시설, 자연과 함께 즐기는 놀이터 등 아이들이 신나게 뛰어놀기 좋은 곳들이 정말 많아요. 가족들이 함께 즐길 수 있는 피크닉 스팟과 바비큐 시설, 여러 나라의 음식을 맛볼 수 있는 레스토랑도 곳곳에 있어서 온 가족이 신나게 하루를 보낼 수 있답니다."

론 파인 코알라 보호 구역 Lone Pine Koala Sanctuary
"브리즈번 내에 있는, 세계 최초이자 가장 규모가 큰 코알라 보호 구역인 론 파인에는 코알라 130여 마리가 살고 있어요. 아름다운 자연 환경 속에서 코알라를 안아보고 캥거루에게 먹이를 줄 수 있고, 다양한 호주 야생 동물들을 만나볼 수 있는 곳이기 때문에 아이들이 있는 가족에게 필수 방문 코스 중 하나랍니다."

부지런히 탐험하며 살아가기
홍콩에 사는 장혜인 가족

당신은 누구이며 어디에 살고 있나요?
8년 전 남편, 딸과 함께 홍콩으로 이주해 살고 있는 장혜인입니다. 홍콩에 올 때 다섯 살이던 딸 세리는 이제 열세 살 중학생 소녀가 되었고, 저는 그동안 홍콩 여행 가이드 《셀렉트 홍콩》을 집필해 한국에서 출간했어요. 3년 전에 홍콩의 유기견 구조 단체에서 만난 강아지 호리를 입양해 이제 네 식구가 되었어요.

작가 소개 글에 "결혼과 동시에 도쿄로 이주했고, 이후 4년간의 뉴욕 생활을 거쳐 2012년부터 홍콩에서 거주하고 있다."라고 쓰여 있어요. 여러 나라를 옮기며 살게 된 이유가 있나요?
2005년도에 일본인 남편과 국제결혼을 하고 남편의 직장이 있는 도쿄로 이주했어요. 도쿄에 사는 동안 딸 세리가 태어났고, 그 후 남편의 직장이 뉴욕, 홍콩으로 바뀌면서 세 가족이 함께 거주지를 옮기게 되었어요. 이제는 홍콩이 가장 길게 머무는 나라가 되었네요.

딸 세리가 10대인 걸로 알아요. 어린 딸과 함께 거주지를 옮기는 게 쉽지 않았을 것 같은데요.
도쿄에서 뉴욕으로 이주하던 해는 세리가 한 살을 막 넘긴 때라 해외 이사 준비에서부터 이동까지 쉬운 일이 하나도 없었어요. 도착해서도 아는 사람도 도와주는 사람도 없어 아이를 데리고 이삿짐 정리하고, 함께 놀아주고, 확 바뀐 거주 환경에 적응하느라 무척 힘들었죠. 뉴욕 생활 4년 후에는 예상에 없던 먼 나라 홍콩으로 이주하게 되어 뉴욕과는 너무 다른 교육과 거주 환경에 다시 적응해야 했어요. 몸도 마음도 고된 나날들이었죠.

홍콩에 이주한 후 처음으로 한 일들이 무엇인지 궁금해요.
제게는 홍콩에 대한 어떤 고정된 이미지가 없었어요. 솔직히 말하면, 관심 자체가 없어서 여행으로도 와보지 않았던 나라였어요. 그래서 처음 와서 살게 됐을 때 더 낯설고 당황스러웠어요. 하지만 세리가 막 다섯 살이 되는 해였기 때문에 무엇보다 학교를 정하는 게 급선무였어요. 홍콩 내 국제학교들을 알아보고, 면접을 보고, 학교 주변에 집을 구해서 이사하느라 처음 몇 달은 정말 정신없이 보냈어요. 여행자가 아닌 생활인으로 살기 위해 전투적으로 부딪혀가며 홍콩을 마주했었죠.

직접 살아본 홍콩은 어떤가요?
홍콩은 작은 도시 안에 빽빽한 고층 건물과 쇼핑몰이 몰려 있고, 밤이 되면 화려한 야경이 빛나는 도시예요. 그래서 강렬한 자극을 원하는 여행자들이 짧은 일정으로 찾는 관광지로 알려져 있죠. 하지만 이 도시 안에 살다 보면 정작 그런 화려함은 현실 생활과는 거리가 있다는 걸 알게 돼요. 특히 아이와 아이 엄마에게는요. 다행스러운 건 이곳은 조용하고 느린 자연을 매우 가까이에서 만날 수 있다는 거예요. 도시 속에도 산이 많고 산책로가 잘되어 있어 반려견 산책시키기에도 좋고 도시 가까이에 아름다운 해변들이 있어 주말에는 모래사장에서 조용한 시간을 보내기에도 좋아요. 도시에 질리면 산과 바다로 가고, 도시가 그리울 땐 시내로 나가는 일을 큰 힘과 시간을 들이지 않고 할 수 있다는 점이 홍콩 생활의 가장 큰 매력이에요.

딸 세리와 친구처럼 지내시는 것 같아요. 쉬는 날 세리와 보통 뭘 하며 시간을 보내시나요?
세리가 중학교에 들어가면서 학교생활이 바빠져 예전처럼 평일에 자주 함께하지는 못해요. 그래서 주말에 가족과 보내는 시간이 더 소중해졌어요. 토요일에는 킥복싱이나 실내 암벽등반 같은 세리가 좋아하는 스포츠를 할 수 있게 해주고, 일요일에는 집에서 같이 넷플릭스를 보거나 강아지 호리와 함께 근처 바다와 산을 걸어요.

그 전에 살던 도시들과 비교했을 때 세리가 홍콩에 와서 가장 좋아하는 것이 무엇인지 궁금해요.
세리는 홍콩을 떠나고 싶지 않다고 늘 얘기하는데 그 이유는 지금 다니고 있는 학교가 너무 좋기 때문이래요. 국제학교에서 미국식 교육 과정으로 공부하고 있는데 선생님들도 학부모들도 공부만이 아닌 다양한 활동을 통해 아이들이 바르게 성장할 수 있게 아낌없는 지원을 해줘요. 그리고 여러 국적과 배경을 가진 친구들과 생활하면서 어려서부터 다양성을 존중하는 자세를 배울 수도 있죠. 학교 캠퍼스 밖으로 산과 바다를 볼 수 있는 것도 큰 축복이라 생각하고요.

타지 생활이 너무 고되게 느껴질 때도 있을 것 같아요.
올해로 한국을 떠나 해외에서 생활한 지 14년째가 되었어요. 그동안 한국으로 돌아가고 싶은 향수병이 주기적으로 찾아오기도 하고, 크게 아플 때면 괜한 서러움과 외로움이 들기도 했

어요. 그때마다 살고 있는 도시가 괜히 싫어진 적도 있었는데 그럴 때일수록 내가 이 도시에 대해 아직 모르는 멋진 면이 있을 거라 생각하고 부지런히 그 도시를 탐험해요. 평소에 가지 않는 먼 지역에도 가보고 안 해본 일들도 일부러 만들어 해보고요. 그 도시에 대해 알려고 노력하면 무언가 하나쯤은 좋은 점을 발견하게 돼요. 현실적으로 그 도시를 떠날 수 없는 상황이라면 자리를 탓하지 말고 내 관점과 자세를 바꿔보자는 강한 마음을 먹고 나서는 어느 나라에 살아도 극복할 수 있는 힘이 생겼어요. 도시는 잘못이 없으니까요.

이렇게 긴 시간, 여러 나라를 거쳐 살아가는 일이 작가님의 삶에 어떤 영향을 미쳤나요?
14년 동안 세 나라를 거쳐 생활하면서 저도 각 나라의 생활 방식에 맞춰 변화해야 했어요. 사람들과의 관계도 처음부터 다시 만들어야 했고요. 그 세월 동안 새로운 환경에 익숙해지는 방법을 하나둘씩 터득했고, 이제는 어느 나라에 가도 이전보다 빠르게 적응할 수 있을 것 같아요. 또, 해외 생활이 길어질수록 가족에 집중하게 되고 결속력도 강해지는 걸 느껴요. 한국에만 있었다면 아마 이런 경험은 못 했을 거예요.

RECOMMENDED PLACE IN HONG KONG

더 펄스The Pulse, 스탠리 플라자Stanley Plaza와 스탠리 마켓Stanley Market
"홍콩은 날씨가 덥고 습하고 시내는 너무 복잡해서 어린아이들과 다니기에 쉬운 도시가 아니지만 시내 중심에서 차로 30분만 가면 반짝이는 해변과 그 앞에 상업 시설들이 모여 있어 아름다운 자연을 보며 산책과 식사, 소소한 쇼핑을 즐길 수 있어요. 홍콩섬 남쪽의 리펄스 베이 비치 앞에 있는 더 펄스와 스탠리 비치 지역의 스탠리 플라자와 스탠리 마켓을 추천합니다."

디즈니랜드Disneyland
"홍콩 디즈니랜드는 규모가 작아 어린아이들과 함께 가도 힘들지 않아요. 한나절 즐거운 시간을 보낼 수 있죠. 근처 디즈니랜드 계열 호텔에 하루 정도 숙박하며 캐릭터 레스토랑과 수영장 시설을 이용하는 것도 아이들에게 좋은 추억이 될 거예요."

가끔은 한국이 그리울 때도 있지만
미국 뉴욕에 사는 마유리 가족

당신은 누구이며 어디에 살고 있나요?
저희 부부는 뉴욕에 거주하고 있는 5년 차 국제 커플이고, 작년 여름에 태어난 15개월 된 아들 헨리를 만나며 부모가 되었어요. 저는 아이를 갖기 전에는 마케팅 컨설턴트, 통역 프리랜서 일을 했고, 출산을 하면서는 본격적으로 육아에 임하고 있어요. 남편은 뉴욕 태생의 중국계 미국인이에요.

뉴욕은 너무 바쁘고, 빠르고, 도도한 도시처럼 느껴져요. 초보 엄마에게 뉴욕은 어떤 곳인가요?
뉴욕에서 8년째 생활 중인데 엄마로서 만나는 뉴욕은 또 다른 매력이 있어요. 물론 단면적인 모습만 보자면 복잡하고 시끄럽고 빠르게 돌아가는 것 같지만 그 속에 잔잔한 여유가 흘러요. 가족과 아이들을 위한 다양한 이벤트와 볼거리로 가득 찬 곳이라 새로운 계절이 찾아올 때마다 설레는 마음이에요. 편의 시설이 곳곳에 있는 건 물론이고 높은 수준의 교육·보육 시설, 그리고 다양한 문화생활이 전반에 있다 보니 아이 키우기 참 좋아요. 부모 커뮤니티도 잘되어 있어서 육아 정보를 얻기도 좋고요. 매연이나 건조한 공기 등 환경적인 부분이 아쉽지만 센트럴 파크나 브라이언트 파크처럼 도시 곳곳에 근사한 공원과 놀이터가 있으니 조금은 위로가 돼요.

세 가족이 모이는 날 시간을 어떻게 보내는지 궁금해요.
저희 부부는 주말에 아이와 함께 외출을 하는데요, 집 근처에 있는 하이라인 철길 공원을 따라 첼시로 산책을 가기도 하고 브라이언트 파크나 센트럴 파크로 나들이도 가요. 공립 도서관에 가서 무료 프로그램에 참여하기도 하고요. 헨리에게 다양한 경험을 하게 해주고 싶어서 인터넷으로 각종 행사를 검색하고 열심히 찾아다니는 편이에요. 에너지가 넘치는 아이라서 밖에서 이것저것 보고 만지는 걸 좋아하더라고요. 물론 마냥 놀지만은 못하고, 주말 중 하루는 남편과 함께 아이 유아식을 만들고 베이킹을 하느라 바쁘게 보내요.

뉴욕 공립 도서관의 모습은 어떤가요?
미국의 다른 도시는 어떤지 모르겠지만 뉴욕은 특히 공립 도서관 시설이 잘되어 있어요. 모든 지점에 아이들을 위한 넓은 공간이 따로 마련되어 있어요. 안전 매트도 깔려 있고 블록, 주방 도구를 포함해 여러 가지 교구와 책이 준비되어 있죠. 매일 연령별로 다양한 이벤트가 열려서 헨리는 12~18개월 아이들을 위한 책 읽어주기 클래스에 가요. 사서분께서 인형과 함께 노래도 불러주시고 책도 읽어주시는데, 아이들에게 알록달록한 스카프와 딸랑이를 나누어 주며 참여형으로 진행되기 때문에 인기가 정말 많아요. 물론 모두 무료랍니다.

처음 그곳에 정착하기 시작했을 때 가장 힘들었던 점은 무엇인가요?
첫째는 언어요. 이곳에서 대학도 다니고 회사도 다녔지만 전공이 비즈니스여서 비즈니스 언어에만 익숙했거든요. 아이를 갖고 나서는 평소에 쓰지 않는 다양한 의료 용어를 배워야 했고 미국 의료 시스템에 대해 공부해야 했어요. 한국처럼 공공보험이 잘되어 있지 않아서 임신 기간 내내 병원과 보험사 사이에서 언쟁을 해야 했는데 이 부분이 가장 힘들었어요. 한국이라면 병원 청구서 문제로 이렇게 스트레스 받을 일은 없을 텐데, 하면서 많이 아쉬워했죠.

아이에게 언어를 어떻게 가르칠 계획인지 궁금해요.
헨리는 영어와 한국어에 노출되어 있어요. 낮엔 제가 한국어 위주로 말하고 저녁에는 남편과 함께 영어로 말해요. 원래 이중 언어는 엄마, 아빠가 언어를 한쪽씩 맡아서 집중적으로 말하는 게 좋다고 들었는데, 저희는 가족의 상황에 맞게 언어를 쓰고 있어요. 영어는 유치원이나 학교에서 자연스럽게 익힐 테지만 한국어는 제가 가르쳐야만 배울 수 있기 때문에 말하기, 읽기, 쓰기를 모두 가르치려고 해요. 중국어는 아이가 관심이 있다면 유치원이나 놀이 클래스를 통해 접하게 할 예정이고요. 언어를 습득하는 능력은 음악이나 미술을 잘하는 것처럼 타고나는 거라고 믿기 때문에 강압적으로 가르치기보다는 아이가 관심 있어 하는 부분에 언어를 접목하는 게 좋을 것 같아요. 아이가 더 배우고 싶어 하면 그때 더 가르치면 되니까요. 그래서 요즘은 한국어와 영어로 노래를 많이 불러줘요. 헨리는 오디오에서 흘러나오는 음악도 좋아하지만 엄마 목소리로 불러주는 노래를 특히 더 좋아해요(웃음).

아이가 그곳에서 태어나 자라다 보면 한국의 문화, 한국의 가족에 대해 잘 모를 수밖에 없을 것 같아요. 그런 부분에서 고민은 없나요?
물론 헨리가 한국에서 나고 자라는 아이들에 비해서 한국 문화를 접하는 횟수는 적을 수밖에 없어요. 그래도 뉴욕엔 한국인도 많고 가까운 곳에 큰 한인 마트와 다양한 한국 음식점이 많아요. 아이 이유식과 유아식도 제가 집에서 80% 정도는 한국식으로 만들어주고 있고, 한국어로 책도 많이 읽어주고 있어요. 아이가 한국의 문화와 역사를 얼마나 잘 알고 이해하느냐는 아무래도 한국인 엄마인 제 몫인 것 같아요. 기회가 되면 꼭 1년 정도는 한국에서 학교를 보내려고 하고, 방학 때도 길

게 한국에 머물 생각이니 그 부분은 크게 걱정하지 않아요. 그래도 아쉬운 부분이 있다면 한국에 계신 부모님과 가족들을 자주 만날 수 없다는 점이에요. 거리가 너무 멀어서 왕래가 힘드니 영상 통화를 하는 게 전부거든요. 저는 어릴 때 조부모님 사랑을 많이 받고 자라서 따뜻한 추억이 많은데, 헨리는 자주 못 뵈니 한국에 갈 때마다 어색해할까 걱정이 돼요.

향수병이 깊어질 때도 있을 것 같아요.
외국 생활을 하는 모든 사람들은 마음속에 자기만의 외로움을 품고 사는 것 같아요. 편하게 대화할 한국 친구나 가족들이 보고 싶을 때도 있고 그 흔한 동네 분식집 떡볶이가 그리워질 때가 있으니까요. 특히 아이를 낳고 나서는 자유롭게 외출도 어렵고 몸도 피곤해서 울적한 순간이 더 자주 찾아오는 것 같네요. 그럴 때 저는 한국어로 된 책을 읽어요. 익숙한 활자가 담긴 책을 읽으면 참 위로가 되더라고요. 한국에서 부모님께서 보내주신 귀한 식재료로 한식을 해 먹기도 하고요. 겨울엔 뜨끈하게 끓인 들깨버섯탕이나 전골, 봄엔 싱싱한 쌈야채와 곁들이는 표고버섯강된장 같은 음식이요. 물론 한국에서 먹는 맛과는 조금 다를 수 있지만 싱싱한 로컬 재료와 한국에서 공수한 식재료로 요리를 하면 어릴 적 먹던 맛과 아주 비슷한 맛을 낼 수 있어요. 음식이 가장 큰 위로가 되죠. 그리고 그 음식을 함께 먹어주는 남편도 있고요.

RECOMMENDED PLACE IN NEW YORK

허드슨 야드 Hudson Yards
"근처에 아이들을 위한 분수 공원과 놀이터가 있고, 유명 건축물인 베슬, 고층 전망대인 엣지, 어트랙션 형태의 장난감 가게인 캠프가 곧 들어설 쇼핑몰, 커다란 스페인 푸드코트와 레스토랑이 위치한 리틀 스페인이 있어 다양한 체험과 식사를 한곳에서 할 수 있어요. 그리고 허드슨 야드는 낡은 철도를 개조한 공원으로 유명한 하이라인과 연결되어 있어서 산책하기에도 정말 좋아요."

센트럴 파크 Central Park
"센트럴 파크 남쪽에는 동물원과 작은 놀이공원이 있고, 북쪽으로 올라가면 근사한 호수와 보트를 탈 수 있는 곳도 있어요. 센트럴 파크 동쪽과 서쪽으로 다양한 박물관도 위치해 있으니 가족의 취향에 맞게 선택할 수 있죠. 가까운 도심에서 즐기는 자연 풍경은 교외 못지않게 너무나 아름다워요. 꽃 피는 봄, 푸른 여름, 단풍이 근사한 가을, 눈 내린 겨울 모두 매력적이니 뉴욕에 오시는 가족분들에게 꼭 추천해요."

새로움보다는 익숙함으로

독일 프랑크푸르트에 사는 조정진 가족

당신은 누구이며 어디에 살고 있나요?

프랑크푸르트에 살고 있는 조정진이에요. 우진, 유진 두 형제의 엄마고, 온라인 키즈 편집숍 '아베쎄데키즈abcd-kids'를 운영하고 있어요.

독일로 떠나게 된 과정이 궁금해요.

사실 떠났다기보다 다시 돌아왔다고 할 수 있겠네요. 제가 초등학교 때 한국을 떠나, 중고등학교를 파리에서 졸업하고 학사, 석사 과정을 뒤셀도르프에서 마쳤어요. 졸업 후 프랑크푸르트에서 직장 생활을 한 후, 한국으로 MBA를 하러 들어왔다가 가정을 꾸리고 10년 가까이 거주했죠. 이제 혼자가 아닌 넷이 되어 다시 독일로 돌아오게 되었네요. 떠나기 위한 특별한 결심보다는 언젠가는 아이들과 함께 유럽에서 여행하듯 살아보자 했던 생각을 실천에 옮겼다고 할까요? 그게 첫째 아이가 초등학교 1학년이 끝날 무렵이었어요.

그 동네의 풍경은 어때요? 아이가 있는 가족이 살기에 괜찮은 가요?

저희가 사는 곳은 프랑크푸르트 다운타운에서 약 15분 거리인 북동쪽 신도시예요. 젊은 부부들이 많이 거주하는 지역이라 깨끗하고 안전하고, 아이들과 함께하기 좋은 지역 같아요. 딱 여기로 와야지, 하고 선택한 건 아닌데, 우선 집을 계약해야 비자 문제도 쉽게 해결할 수 있는 상황이라 현지에 거주 중인 지인에게 괜찮은 지역을 추천받아 집을 구했어요. 좋은 사람, 좋은 학교를 잘 만난 것 같아 감사하게 생각하고 있어요.

아베쎄데키즈는 한국에서 론칭해 지금까지 이어오고 있는 건 가요?

맞아요. 첫아이를 출산하기 전후에 통역 업무를 하며 해외 출장을 자주 다녔어요. 그때마다 아이들이 보면 좋을 그림책과 유아용품들을 가져와 제 블로그에 일상 이야기와 함께 조금씩 소개하면서 엄마들의 관심을 받았어요. 이후 디자이너인 남편의 도움을 받아 아베쎄데키즈를 론칭했죠. 모든 제품은 제가 직접 선택하고 아이들이 상당 기간 사용하며 좋은 포인트가 있는 것들 위주로 소개하는 편이에요. 인하우스 디자인을 통한 제조와 수입을 병행하기 때문에 한국과 독일을 오가면서 운영 중이에요. 현재 유럽에서도 새롭게 아베쎄데키즈와 연계된 브랜딩을 준비하고 있어요.

아이 없이 혼자였을 때와 아이와 함께인 지금, 독일에서의 생활에서 어떤 차이를 느끼나요?
제 삶의 반 이상을 외국에서 생활했지만, 부모가 되어 아이들과 함께하는 이곳에서의 생활은 혼자일 때와 전혀 다른 삶인 것 같아요. 모든 것들이 낯설다는 느낌도 들었어요. 하지만 다른 이민자들과 달리 언어와 문화에 익숙한 편이어서 아이들도 새로운 환경에 자연스럽게 녹아들고 있는 것 같아요. 간혹 외국인이라 느끼는 차별이 아주 없는 건 아니지만 여러 면에서 '이렇게 친절한 나라였던가?' 하고 느낀 적이 아직은 더 많으니까요. 특히나 일과 육아를 병행해야 하는 처지에서는 아이를 키우기 좋은 사회제도 안에 속해 있는 건 맞는 듯해요.

그 사회제도에 대해 조금 자세히 듣고 싶어요.
이곳에는 HORT라는 방과 후 프로그램이 있어요. 학교와 연계된 시스템인데, 거주 지역에 소속된 교육기관에서 정규 수업 후 아이를 돌봐주는 시스템이죠. 대체로 오후 다섯 시까지는 오픈되어 있기 때문에 그 안에 아이를 픽업하면 돼요. 하지만 근본적인 차이는 무엇보다 기본적으로 근무 시간이 길지 않다는 점이에요. 전문직이건, 일반 회사원이건, 자영업이건 오후 다섯 시 안에 부모 중 한 명은 아이를 데리러 갈 수 있는 사회 시스템과 라이프 사이클이 잘 자리 잡혀 있어요.

두 형제가 각각 어떤 식으로 그 도시에 적응하고 있는지 궁금해요.
두 아이 모두 한국에서 독어 공부를 시키지는 않았지만 독일어에 어느 정도 노출은 되어 있었어요. 우진이 같은 경우는 언어에 관심이 많기도 했고, 정말 빨리 늘었어요. 하지만 역경이 없던 건 아니에요. 자기주장이 또렷하고, 하고 싶고 알고 싶은 게 많은 아이라서 항상 주변에 친구들이 모였었는데, 이곳에 와서 친구들과 친해지고 말문 트는 3~4개월 동안은 고난의 시간을 보냈죠. 다행히 좋은 담임 선생님을 만났고, 무엇보다

아랫집에 사는 같은 반 친구와 가까워지며 순식간에 독일어를 흡수하게 되었어요. 표현과 소통의 자유가 얼마나 소중한지를 아이도 몸소 배우게 된 거죠.

그럼 둘째 유진이는요?

유진이는 형하고 달리 먼저 나서기보다는 뒤에서 관찰하고 지켜보는 스타일이라 모든 것에 시간이 필요한 아이예요. 유치원에서 거의 4~5개월은 말을 하지 않았다고 해요. 첫 유치원 상담 때 담임 선생님이 "유진이 한국어로는 말할 줄 알죠?"라고 물어보기까지 했으니까요. 그러던 어느 날 유진이가 주어, 동사, 명사, 문장을 구사하며 입을 떼기 시작했어요. 형 우진이가 단어와 보디랭귀지를 모두 활용해 말을 시작한 것과 정반대였죠. 그날 아이를 데리러 갔을 때, 담임 선생님이 저보다 더 기뻐하며 저를 꼭 안아주던 기억이 나요. 지금은 두 아이 모두 방과 후에도 친구들과의 약속 때문에 저보다 더 바쁘게 잘 지내고 있어요.

아이들 키우는 곳에는 다정한 이웃이 많을수록 좋잖아요. 거기에도 다정한 이웃이 있나요?

아무래도 같은 아파트에 거주하거나 같은 반 친구들 부모와는 더욱 가깝게 지내는 것 같아요. 이곳에서는 방과 후 친구들과의 놀이 또한 중요한 일과 중 하나인데 방과 후 오늘은 우리 집, 다음은 너희 집, 서로 집을 오가며 플레이데이트를 하다 보면 자연스레 가까워지는 거죠. 하루는 아이가 평소보다 일찍 하교를 하고 방과 후 수업도 없는 날인 걸 깜박하고 외출을 했는데, 모르는 번호로 우진이에게 연락이 왔어요. 자기는 지금 하교를 했는데 왜 집에 아무도 없냐고요. 친구 엄마에게 전화를 빌려 연락을 했다는데 얼마나 당황스럽던지, 그분이 우진이까지 데려가 보살펴준 게 고마워서 여러 번 인사를 했어요. "우리 애가 이런 상황이었다면 당신도 나처럼 했을 거예요."라는 말을 듣는데 역시 이곳도 사람 사는 곳이구나, 하고 느껴지더라고요.

아이들이 그곳에 와서 가장 좋아한 것과 싫어한 건 무엇인가요?

아이들에게 물었더니, "싫은 건 없어. 단지 한국이 그리워."라고 답을 해주네요(웃음). 우리가 살던 이층집, 학교 앞 문방구, 친구들, 분식점, 피아노 학원에서 했던 달란트 시장, 할머니랑 할아버지가 그립다고 해요. 하지만 이곳에 와서 새롭게 접하거나 경험하는 것들에 많은 흥미를 느끼고 있어요. 한국과 다른 것들, 이국적인 자연환경과 건물들, 특히 다양한 문화와 언어, 인종이 있다는 게 신기한가 봐요. 요즘 들어 더욱 모든 것에 '왜?'라는 질문이 많아졌어요.

인생의 반을 외국에서 사셨어요. 그런 경험은 인생에 어떤 영향을 미치나요?

성장기부터 자연스레 스며든 무질서 속 자유가 저에게 많은 영향을 주지 않았나 생각해요. 이곳은 타인에게 피해를 주지 않으면서 지극히 개인주의적 사고를 하는 사회라고 할 수 있는데, 이렇게 더불어 평온하게 살 수 있는 분위기가 유지되는 점이 참 신기하다고 느꼈거든요. 남의 시선을 의식하지 않는 자유로움, 그러나 그 자유가 남에게 피해를 주지 않는 경계에 머무르는 것. 자유롭게 사고하고 자기 생각을 표현하되, 다름에 대해 내 생각을 당당하게 말할 수 있는 연습이 자연스럽게 된 것 같아요.

아이가 있는 가족이 프랑크푸르트에서 살 준비를 한다면, 당부하고 싶은 말을 해주세요.

개인적으로 첫 보금자리는 다운타운과 가깝고 주변에 공원이 있는 곳이 좋은 것 같아요. 학교나 유치원 시설도 근접한 곳이면 좋겠고요. 하지만 좋은 지역이나 환경보다도 아이들과 함께 어떻게 살아갈 것인지가 가장 중요하다고 생각해요. 이곳의 사람들과 어울리며 나를 보여주고 또 그들을 있는 그대로 받아들이고 다가가면 사람에게 상처받는 일보다는 도움을 받거나 좋은 인연을 만들 수 있어요. 어딜 가나 사람 사는 곳은 다 비슷하다고 하잖아요.

RECOMMENDED PLACE IN FRANKFURT

마인강변 거리의 무제움스우퍼 Museumsufer

"박물관 열다섯 곳이 밀집되어 있는 마인강변 거리의 '무제움스우퍼'를 추천해요. 아이와 어른 모두 즐길 수 있는 전시가 가득한 곳이에요. 뮤지엄들 내부에 자리 잡은 카페와 비스트로도, 그 앞의 작은 공원들도 아이와 함께 가기 좋아요."

프랑크푸르트 동물원 Frankfurt Zoo, 오펠 동물원 Opel Zoo

"프랑크푸르트 동물원은 도심 속에 있어서 대중교통으로 갈 수 있고, 오펠 동물원은 도시 근교의 자연 속에 있어서 차량으로 가야 해요. 두 동물원의 매력이 다르고, 가족들이 함께하기 좋은 곳이라 추천합니다."

WHY DID YOU COME TO MY HOUSE?

작가 '그림에다' 심재원

엄마가 배 속에 아이를 품을 때부터 시작되는, 크고도 깊은 단 한 가지 고민. '우리 아이를 어떻게 제대로 키우지?' 많은 부모들이 그 해답을 찾기 위해 수많은 정보를 찾고 습득하고 적용하며 육아를 해나갈 것이다. 여기 같은 마음의 한 아빠가 있다. 다른 아빠들과 약간의 차이점이라면 책과 인터넷이 아닌 '가정 방문'을 통해 육아 선진국 핀란드와 덴마크의 실생활을 직접 관찰했다는 것이다. 관찰자의 눈으로 낯선 집의 생활을 담아온 '그림에다' 심재원 작가는 그곳에서 자신이 품고 있던 기록의 의미를 찾았다.

에디터 이다은 사진 심재원

INTERVIEW
'그림에다' 심재원 | 작가

가족이 함께 여러 나라를 여행하는 것 같아요. 최근에는 어디에 다녀오셨어요?
최근에는 2주 정도 독일에 다녀왔어요. 미술관과 박물관 여행으로 콘셉트를 잡고 여러 도시를 옮겨 다녔어요. 아들 이든이가 자동차를 워낙 좋아해서 국내에서도 고양 현대모터스튜디오나 용인에 있는 삼성교통박물관에 자주 다녔거든요. 그런데 너무 자주 가다 보니 더 이상 구경할 게 없어진 거예요. 어느 날은 이든이가 박물관에 관람하러 온 친구들에게 큐레이터처럼 설명을 해주고 있더라고요(웃음). 그래서 지난번에는 일본의 도요타 박물관에 다녀왔고, 이번에도 벤츠, 비엠더블유, 포르쉐 전시장에 갔었어요.

가장 인상적인 도시는 어디였나요?
독일을 전부 가본 건 아니지만 슈투트가르트가 무척 인상적이었어요. 도시가 생각보다 너무 아름다웠고, 우연히 보게 된 발레 공연에 매료되었죠. 발레는 처음 보는 거였는데 미술관에서 얻지 못하는 감동을 얻었어요. 무대, 음악, 조명, 안무…. 모든 것이 한곳에 어우러져서 무용수들이 무대를 이끄는 모습이 정말 인상 깊었어요.

3년 전에는 핀란드에도 다녀오셨다고요. 세 식구가 핀란드 행을 결심한 계기와 과정이 무척 흥미로워요.
SNS에 '그림에다'라는 필명으로 육아 콘텐츠를 운영하고 있는데, 우연히 일본에서 광고 제작 의뢰가 들어왔어요. 이웃 나라니까 문화적 차이가 그리 크지 않을 거라고 생각했는데 오산이었죠. 육아 방식도 많이 다르더라고요. 문득, 바로 옆 나라도 이렇게 다른데 다른 나라는 어떨까 하는 생각이 스쳤어요. 직접 가서 경험해보고 싶다는 욕구가 강하게 들었죠. 고민 끝에 육아휴직을 신청하고, 행선지로 육아 선진국인 핀란드를 선택했어요.

육아휴직도 그렇지만 직접 대사관의 문을 두드린 것도 놀라워요.
막상 해외에 두세 달 가 있기로 계획하니까 경제적으로 부담이 됐어요. 육아휴직 기간이었고, 제가 뭐 큰 부자도 아니고요. 처음에는 육아 에세이로 SNS 활동을 하면서 인연을 맺은 정부 기관에 제안했었는데 이런저런 이유로 반려당하고, 다음 생각한 게 대사관이었어요. 보통 '핀란드의 육아 시스템을 보고 와서 우리나라에 소개하겠다.'고 제안할 텐데, 생각해보니 그건 관련 단체에서 할 일이지 개인의 역할은 아닌 것 같더라고요. 그래서 조금 다른 방향으로 다가갔어요. '육아 시스템 이런 건 잘 모르겠고, 실제로 핀란드 아이와 엄마가 밥을 먹는 장면, 아빠가 아이에게 책을 읽어주는 모습, 가족이 함께 있는 시간을 우리나라 부모들에게 소개해주고 싶다. 그리고 그건 기관보다 개인적으로 가서 취재해오는 게 효과적일 것 같다.'고요. 다행히 대사님이 흔쾌히 수락해주셔서 정말 많은 도움을 받았어요. 덕분에 영아부터 유아, 초등학교 저학년까지 열두 개 정도의 가정에 일주일씩 머물다 왔어요.

핀란드로 향하는 분명한 목적이 있었네요.
맞아요. 핀란드로 떠날 당시 제가 잡은 포인트 중 하나는 '관찰자의 시선'이었어요. 우리가 알고 있는 핀란드 정보의 대부분은 그곳에 살고 있는 이들의 입에서 나온 거라서 가만히 보면 이미 현지화된 내용이 많아요. 사실 현지인들에게 '당신, 거기서 어떻게 살고 있나요?'라고 물으면 '밥 먹고 자고, 그냥 그래요.'라고 대답할 수밖에 없거든요. 그런데 관찰자로서 문제의식을 갖고 가면 우리가 필요한 답을 얻을 수 있을 것 같았어요. 같은 시선을 갖고 작년엔 덴마크에도 다녀왔어요. 핀란드 때는 핀란드 외교부의 도움을 받아 현지 가정에 직접 방문했었고, 덴마크 땐 대통령 직속 기관인 저출산고령사회위원회와 손잡고 그곳의 교육 현장을 관찰하고 왔죠. 제3자였기 때문에 모르는 건 물어보고, 끄집어낼 수 있었던 것 같아요.

덴마크 이야기도 무척 궁금하지만 핀란드 이야기부터 먼저 들어볼게요. 핀란드의 첫인상은 어땠나요?

신선한 충격이었죠(웃음). 첫날과 둘째 날엔 특별한 일정이 없어서 동네 놀이터나 사람들을 구경했어요. 어느 건널목을 지나는데 저기서 유모차 여러 대가 보였죠. 유모차를 끌고 가는 사람들이 처음엔 엄마들인 줄 알았는데 자세히 보니까 머리 긴 아빠들이더라고요. 그 모습이 무척 인상적이었어요. 그러고 나서 놀이터에 갔더니 보호자 비율이 엄마, 아빠 반반인 거예요. 그만큼 아빠들이 육아하는 비중이 높고, 아이와 보내는 시간이 많아요.

아빠가 많은 놀이터, 상상만으로도 따뜻해요. 놀이터의 다른 면도 궁금해요.

핀란드의 공공 놀이터에는 안전요원과 간호사가 있어요. 프로그램을 운영하는 건물도 있어서 아이들이 그 안에서 놀기도 해요. 모래사장에는 장난감들이 들어 있는 나무 상자가 있는데, 아이들은 그걸 꺼내 가지고 놀다가 다시 넣어놔요. 가장 놀라운 건 점심을 제공한다는 거예요. 아쉽게도 부모에게는 해당이 안 되지만(웃음) 주로 핀란드의 주식인 감자로 만든 수프가 나오더라고요. 이런 공공 놀이터는 어느 지역이나 비슷한 구조로 운영돼요. 사설 놀이터의 문이 늘 열려 있다는 점도 좋았어요. 그만큼 아이들이 자유롭게 뛰어놀 수 있는 기회가 많다는 이야기니까요.

놀이터 이야기를 들으니 아빠들이 육아에 참여하는 비중이 어느 정도인지 짐작이 가요.

환경도 한몫하는 것 같아요. 핀란드는 여름이 무척 짧고 겨울이 길어요. 우리가 겨울 말고 봄가을에 주로 외출하는 것처럼 그 나라도 겨울에 외출을 잘 안 해요. 네 시에 직장에서 퇴근하면 동료들끼리 술자리도 드물어서 집으로 바로 가고, 자연스럽게 아이와 보내는 시간이 많아지게 되죠.

핀란드 가족들은 함께 있을 때 주로 뭘 하고 놀던가요?

집 밖에만 나가도 자연이 펼쳐져 있으니까 아이들이 뛰어놀 데가 많아요. 대체로 청정 지역이 많으니까 미세먼지 같은 걸 염려할 필요도 없죠. 언젠가 비가 많이 내리는 날, 아이들이 놀이터에서 우비를 입고 놀고 있더라고요. 주위를 보니까 보호자들도 같이 우비를 입고 지켜보고 있고요. 실내에서 노는 게 좋지 않으냐고 물어봤더니 지금은 아이들이 야외 놀이를 하는 시간이기 때문에 비가 오나 눈이 오나 야외에서 놀게 한다는 거예요. 또 여름에는 백야 때문에 해가 열한 시까지 떠 있으니까 아이들이 더 오랫동안 바깥에 있게 돼요. 부모들이 자연에 아이들을 맡기는 거죠. 그래서 이곳 아이들은 밥 먹을 때 돌아다니거나 안 먹는다고 투정 부리는 일이 거의 없어요. 그렇게 놀다 보면 당연히 배가 많이 고플 테니까요(웃음).

각 가정에서 공통적으로 관찰된 육아 방법도 있을 것 같아요.
핀란드 부모들은 과정을 무척 중요하게 생각해요. 예를 들어 우리는 가족끼리 캠핑을 간다고 하면 대부분 어른들이 일을 다 하잖아요. 짐을 꺼내고, 텐트를 치고, 고기를 굽고…. 모든 게 다 준비되고 난 다음 아이들이 와서 저녁을 먹죠. 아이가 너무 어리면 위험하니까 꺼려지기도 하고, 아이 없이 일하는 게 더 빠르고 편하니까요. 이런 식으로 우리는 아이들에게 과정을 생략하고 결과만 공유하는 경우가 많은 것 같아요. 그런데 핀란드 부모들은 그 모든 과정을 아이들이랑 같이 해요.

그런 과정들이 모이면 아이에게 어떤 영향을 미치게 될까요?
음식이 자기 입으로 들어오기까지, 장난감을 자기 손에 넣기까지 시간과 노력이 든다는 걸 조금씩 인식하게 되면서 통제력이 생기는 것 같아요. 무엇이든 기다릴 줄 알게 되는 거죠.

지금 하려고 하는 질문과 맞닿아 있는 것 같네요. 《똑똑똑! 핀란드 육아》에 "핀란드는 기다림이다."라고 쓰셨어요. 핀란드 부모는 아이들이 스스로 깨닫고, 절제하고, 좋아하는 일을 찾기를 기다린다고요. 아이들을 하나의 독립된 인격체로 존중해야 하지만 부모가 개입하고 싶은 마음을 내려놓는 게 쉬운 일은 아닐 것 같아요.
핀란드 교육의 철학은 대단한 게 아니에요. 그저 어른이 적게 얘기하고 아이가 많이 얘기하게 할 뿐이죠. 어른의 판단을 먼저 주입하는 게 아니라 아이들의 판단을 들어보는 거예요. 제대로 판단하지 못하는 경우도 있지만 스스로 생각하는 것 자체를 중요하게 여겨요. 한번은 제 아이와 동갑내기 친구가 장난감을 갖고 놀다가 갈등이 생긴 적이 있어요. 화가 난 아이가 친구에게 모래 한 줌을 뿌렸는데, 울거나 싸울 줄 알았던 그 친구가 아빠한테 가서 이야기를 하는 거예요. 이런 상황이 있었고, 이런 이유로 화가 났다고요. 그러면 아빠는 아이에게 '이렇게 해.', '그게 아니야.'라고 하는 대신 아이의 말을 가만히 들어주고, 그 말에 자기 의견을 조금 얹어서 대답해줘요. 그들도 분명 힘들 거예요. 할 말도 많고 개입하고 싶겠죠. 그런데 그 마음을 꾹 참고, 시간이 걸리더라도 기다려주더라고요. 아이가 스스로 판단하는 연습을 하면서 자라면 궁극적으로는 자기가 진짜 하고 싶은 일이 뭔지도 알게 돼요. 자연스럽게 진로와 미래를 선택하게 되고, 아이들이 고민하는 과정을 지켜봐 온 부모와 선생님은 그 결정을 존중해줘요.

그런 연습은 인생에 꼭 필요한 과제인 것 같아요. 저는 사실 지금도 미래에 대한 고민 자체가 어렵거든요(웃음).
저도 그 부분이 안타까워요. 경쟁과 입시 위주의 교육 과정

안에서는 시키는 것 위주로 할 수밖에 없잖아요. 그렇게 스무 살이 되면 우리는 정작 그때부터 고민을 시작하게 돼요. 그래서 전공이나 직업에 관해 끊임없이 질문하다가 40~50대가 되어 이러지도 저러지도 못하는 상황을 만나기도 하죠. 먹고 살아야 하니 새로운 것에 도전하기도 어렵고요. 악순환이죠. "핀란드는 기다림이다."라고 했지만, 멀리 생각하면 그들이 더 빠른 건지도 몰라요.

덴마크와 핀란드 양국의 육아·교육법에서 가장 큰 차이점은 무엇인가요?

핀란드의 키워드가 기다림이라면, 덴마크는 협업이에요. 덴마크 엄마들은 학교에 가면 선생님들에게 같은 반에 혹시 뒤처지는 아이가 있는지를 물어봐요. 반 아이들이 다 잘해주어야 우리 아이도 잘된다는 마인드가 있어요. 협업의 관점으로 보는 거죠.

경쟁이 아닌 상생을 통해 개인이 성장할 수 있다는 믿음은 어디에서 나온다고 생각하세요?

기본적으로 내 아이가 잘되면 좋겠다는 마음은 모든 부모가 같을 거예요. 다만, 그들은 어릴 때부터 훈련이 되어 있어요. 영유아 때부터 두세 명씩 그룹을 지어 길러지고, 초등학교 1학년부터 9학년까지 대체로 반이 바뀌지 않아요. 내가 갖고 있는 경험과 상대방이 갖고 있는 경험이 다르다는 걸 알고, 서로 합쳐야 사고의 덩치가 커진다는 걸 본능적으로 아는 것 같아요.

친구나 동료를 무척 중요하게 생각하겠네요.

그렇죠. 아무래도 소득 수준이 높은 나라고 도시가 크지 않으니까 조금만 외곽으로 나가도 별장이 많아요. 집도 숲이면서 더 숲으로 들어가더라고요(웃음). 그런 곳에서 같이 지내면서 왠지 낯설지 않은 느낌을 받았어요. 우리 어릴 때 기억과 비슷했거든요. 옆집 친구네 집에 놀러 갔다가 밥도 같이 먹고, 시간이 늦으면 자고 오고요. 지금은 잘 안 그렇잖아요. 작은 별장 마을 입구에 도착해서 집으로 들어가기까지 시간이 얼마나 오래 걸렸는지 몰라요. 가다가 멈춰서 인사하고, 악수하고, 이야기하고…(웃음). 협업은 그런 데서 시작된다고 생각해요. 창의력에 시너지가 나려면 개인보다는 관계에서 답을 찾아야 하는 것 같아요.

교육 현장도 실제로 방문하셨다고요. 거기서도 새로운 점을 발견하셨나요?

네, 한 초등학교에 가서 생경한 풍경을 봤어요. 분명 수업 시간이라는 안내를 받고 1층부터 4층까지 둘러보는데, 가만히 앉아 있는 아이들이 없었어요. 문은 열려 있지, 애들은 복도

로 뛰어다니지, 저를 발견한 친구들은 냅다 달려 나오지(웃음). 선생님이 제지할 법도 한데 그냥 두더라고요. 집중력이 흐려진 아이들이 운동장에 나와서 각자 시간을 보내다가 다시 교실로 들어가는 것도 놀라웠어요. 한쪽에는 요가방이 있는데, 그 방에는 요가 선생님이 늘 대기하고 있어서 아이들이 들어오면 수업을 진행해요. 분위기가 무척 개방적이죠. 선생님들이 자기만의 시간을 지키기 위해 교무실에 카드 키로 출입할 정도니까요.

두 나라의 육아법과 교육법을 관찰하면서 아쉬운 점은 없었나요?
아쉬운 부분이라기보다는 하나의 특징을 꼽을 수 있을 것 같아요. 핀란드와 덴마크는 초등학교 1학년부터 9학년까지 반을 바꾸지 않고 쭉 함께 가요. 선생님도 마찬가지죠. 그러다 보니 그들끼리 끈끈할 수밖에 없고, 집단 내에 누군가 흡수되기가 쉽지 않다는 어려움이 있어요. 한편으로는 선생님이 그 누구보다 아이들을 잘 알기 때문에 교권에 대한 신뢰도가 무척 높은 편이에요.

처음 핀란드에 다녀오고 나서 3년이 흐른 지금, 아들 이든이도 훌쩍 자랐을 것 같아요.
핀란드 갔을 때 이든이가 네 살이었는데, 몇 달 동안 외국인들과 부대끼면서 어른들한테도 스스럼없이 먼저 다가가고 장난을 쳤어요. 아주 용감했죠(웃음). 일곱 살인 지금은 영어를 곧잘 해요. 얼마 전에는 핀란드 대사관의 공보관이 임기를 마치고 고국으로 돌아간다기에 만났는데, 공보관의 딸아이인 마틸다와 이든이가 영어로 대화하는 걸 보니 마음이 좋더라고요. 둘이 친구 사이거든요. 확실히 예전보다 점잖아지고 의사소통이 더 원활해진 것 같아요. 그런 걸 보면 '아, 좀 성장했구나.' 하는 생각이 들죠.

핀란드, 덴마크의 가정 방문뿐만 아니라 엄마, 아빠와 함께 하는 모든 경험이 이든이에게도 좋은 영향을 미치는 거겠죠?
그렇게 생각해요. 무엇보다 저는 이든이가 어른들을 많이 만나는 게 좋았어요. 저희 세대는 어른과 함께 있으면 어울리는 느낌보다는 경직된 분위기가 있는데 이든이는 어른한테도 묻고 싶은 거 묻고, 하고 싶은 이야기 다 하고 친구처럼 지내요.

전업 작가로 생활하신 지는 몇 년 안 되었다고 알고 있어요. 육아휴직을 하고 회사를 그만두기까지의 과정이 궁금해요.
몇 년 전까지만 해도 14년 차 직장인이었어요. 광고 회사를 다녔는데 너무 바빠서 아이와 같이 있을 시간이 없었죠. 아내와 자꾸 갈등이 생기니까 어떻게든 가족이 함께 시간을 보내면서 문제를 해결해보기로 했어요. 결론이 육아휴직쪽으로 났는데, 아내는 거의 정시 출퇴근을 하고 있어서 야근이 많은 제가 휴직을 하는 게 나을 것 같았어요. 처음에는 6개월을 신청하려고 했는데, 회사에서 제가 첫 육아휴직자다 보니 칭찬보다는 염려의 목소리가 컸어요. 마음이 위축돼서 결국 딱 한

달 신청했죠. 육아를 하고 가족과 많은 시간을 보내면서 저절로 아빠의 역할에 대해 생각하게 됐어요. 복직 이후에 다시 11개월 휴직을 내고, 핀란드에 다녀와서 다시 복직한 후에 회사를 그만뒀어요.

결정적으로 회사를 그만둔 계기가 있었나요?
복직을 했는데, 또 바쁘고 야근하고 그런 생활의 반복인 거예요. 이제는 도저히 회사 생활과 작가 활동 두 가지를 함께할 수 없다고 생각했고, 가족과의 시간이 너무 중요하다는 걸 깨달은 상태라서 정말 많은 고민 끝에 직장을 포기했어요. 처음에는 14년 동안 쌓아온 커리어를 버린다는 생각에 조금 후회도 했었는데, 지금은 오히려 회사 나오길 잘했다는 생각이 들어요.

주위에 같은 고민을 하는 아빠들이 많죠?
그럼요. 주변에 있는 아빠들이나 강연에서 만난 아빠들이 그런 질문 엄청 많이 해요. "수입이 어떻게 되시나요?", "저도 그만두고 싶은데…(웃음)." 예전에는 '야, 그냥 나와서 하고 싶은 거 해!' 그렇게 이야기했는데 지금은 나와서 고생하는 친구들 보면서 선뜻 그런 얘기를 못 하겠더라고요. 경쟁이 너무 치열하잖아요. 그래도 해드리고 싶은 말은, 내가 하고 싶은 걸 고집하지만 말고 거기에서 계속 변화를 찾아야 한다는 거예요. 저도 처음에는 SNS 육아 콘텐츠로 시작했지만 이런 프로젝트성 여행을 다니고, 책을 내고, 강연 시장에도 뛰어들었어요. 하나의 아이템에서 멈추면 살아남기 힘들다고 생각해요.

평소에 아이랑 그림을 그리면서 시간을 보낸다고 들었어요.
맞아요. 아이와 있을 때 저도 같이 즐거우면 좋잖아요. 아이만 재미있고 부모가 괴로우면 그 시간이 너무 안 가요. 그래서 제가 선택한 건 뽀로로가 아니라 책과 그림이에요. 함께 읽고, 그림 그리고, 이야기 만들며 놀아요. 아이가 뭘 그려달라고 하면 그려주는 게 아니라 제가 하나를 그리면 아이가 또 하나를 그리는 식으로요. 만약 제가 변기를 하나 그리면 아이가 변기 마을을 그려요. 그림이 산으로 가기도 하지만 그 안에서 많은 대화가 있어요.

최근 출간하신 가족 에세이 《너에게 사랑을 배운다》를 보면 가족의 모습을 정말 세심히 관찰했다는 느낌이 들어요. 엄마가 아닌 아빠가 엄마들의 공감을 불러일으킨다는 것도 신기해요.
집에 함께 있으면 자연스럽게 그런 모습이 포착돼요. 생활 속에서 반복되는 단어와 패턴이 생기고, 예상치 못한 상황들을 해결해나가는 과정을 기록하다 보면 저만의 관점이 생기는 거죠. 어떤 상황이 그 관점 안으로 들어오면 이야기를 다듬어 내보내는 게 쉬워져요. 광고 일을 했던 경험도 물론 큰 도움이 됐어요. 어떤 대상의 수만 가지 특징을 관찰하고, 다르게 보고, 하나로 압축하는 게 습관이 되어 있으니까요. 여러 상황 안에서 가장 공감될 만한 메시지를 찾아 잘 표현하려고 고민하고 있어요. 결국 제가 하고 있는 건 육아에 대한 기록이에요. 전작 《천천히 크렴》, 《완벽하게 사랑하는 너에게》도 같은 맥락이고요.

육아를 기록하는 이유가 있나요?
제가 방문했던 핀란드나 덴마크 가정에는 육아서가 없어요. 그들은 육아에서 오는 고민을 스스로 해결하려고 해요. 자신이 아이였을 때 커온 방식, 반대로 부모가 되어 아이를 키우는 방식을 돌아보며 답을 찾아요. 육아서나 인터넷 정보를 따르는 게 아니라 본인이 주체가 되기 때문에 그렇게 해서 얻는 가치관이 무척 강력해요. 저는 그걸 기록으로 할 수 있다고 생각해요. 아이를 키우면서 있었던 작은 문제들과 해결 과정을 기록하다 보면 그 가족만의 관점이 생겨요. 저 역시 하루 일과나 아내와의 대화 같은 여러 가지 이야기를 쓰면서 가족의 자산을 쌓아가고 있어요. '아이를 잘 기르는 몇 가지 법칙'이 세상에 수도 없이 존재하고, 문제를 해결하는 방법도 곳곳에 깔려 있지만, 돌발 상황은 늘 새롭게 생기고 가족마다 맞는 방식이 다르잖아요. 기록은 누구나 할 수 있으니까 도전해 보시면 좋겠어요.

그럼, 그 기록을 시작할 분들에게 한마디 해주세요.
기록은 엄마 혼자가 아니라 남편도 함께해야 해요. 함께 육아하고 함께 대화해야 해요. 엄마 혼자 쓰다 보면 푸념으로 그칠지도 모르니까요(웃음).

똑똑똑! 핀란드 육아
글·그림 심재원 | 청림라이프

Treasures from everywhere

작은 모양 하나를 봐도 어떤 브랜드인지 알 수 있는 제품이 있다. 우리가 발견하는 그 개성은 가끔은 어떤 나라와 도시에서 오며, 때로는 그 도시의 무언가를 소재로 만들어진다. 지금부터 만나볼 브랜드들은 탄생부터 그 개성을 안고 태어난 것들이다.

중남미 핸드메이드의 매력
볼삭

중남미의 자연에서 영감을 얻어 손으로 만드는 제품을 수입, 제작하며 개성 넘치는 핸드메이드의 가치와 정성을 담고 있다. 중남미 핸드메이드 제품의 매력은 어디에서도 볼 수 없는 색감과 질감. 같은 중남미라도 각 나라가 가지고 있는 전통 방식이 조금씩 달라 제품을 고르는 재미가 있다. 파나마는 남미와 북미를 잇는 중심 국가로 지협과 운하가 발달해 디자인 소재로 새와 물고기를 많이 사용하며, 페루에서는 남미 적도 부근에서만 자라는 갈대의 일종인 토토라잎으로 가방을 제작한다. 볼삭에서 선보이는 제품들은 대부분 이은미 대표가 현지에 있을 때 직접 방문했던 시장이나 마을에서 보고 매료된 것들이다. 시골 마을에 직접 머물면서 상인들과 샘플을 만들어본 후에야 한국에 제품을 선보일 만큼, 작업자와의 소통을 브랜드 운영에 가장 중요한 요소로 둔다. 그들과의 직접적인 소통을 통해야만 더 양질의 제품이 나올 수 있다고 믿기 때문이다.

bolsac.co.kr

골든 미러

페루 로컬 공방에서 전통 방식으로 만들어져 흔히 볼 수 없는 형태와 색감, 앤티크한 디자인이 매력이다. 사이즈는 손거울부터 대형 벽걸이 거울까지 다양하고, 시즌별로 형태와 색감을 다르게 제작한다. 나무 합판을 깎고 다듬어 무늬 도장을 하나하나 찍어 만드는 정성이 깃들어 있다.

사이즈별 1만 원대~10만 원대

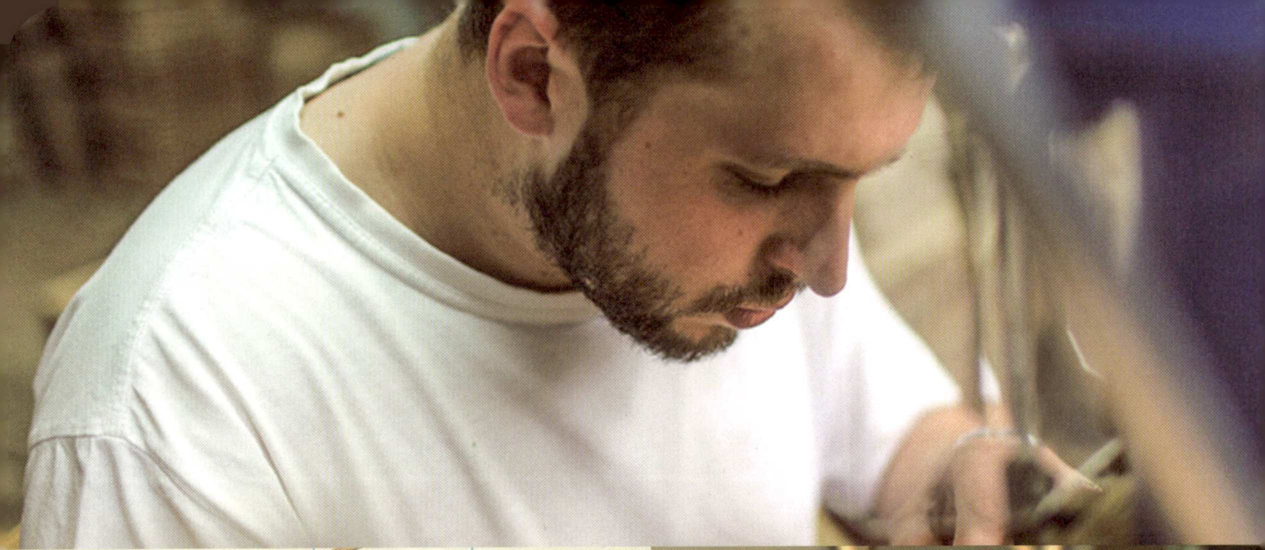

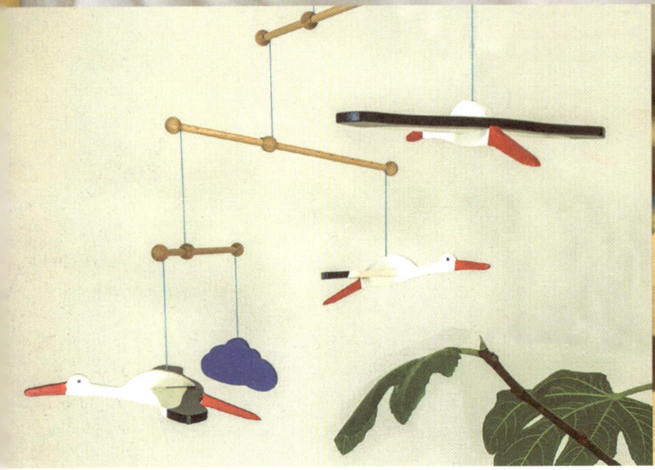

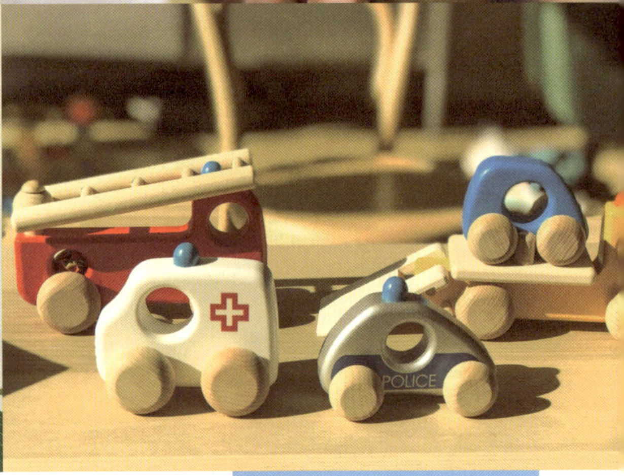

폴란드 할아버지가 만든 깐깐한 장난감
바조

'환경과 아이, 부모에게 좋은 장난감'을 모토로 하는 폴란드의 원목 장난감 브랜드 '바조'. 브랜드명은 건축가이자 장난감 디자이너인 워텍 바조Wojtek Bajor 할아버지 이름에서 따왔다. 바조의 자부심은 바로 자연에서 와서 자연으로 돌아갈 수 있는 재료를 사용한다는 것. 장난감에 쓰이는 수목들은 숲을 해치지 않는 나무 농장이나 근교의 과수원에서 가져오며, 식물성 무독성 페인트와 코팅되지 않은 재생용지를 포장재로 사용한다. 깨끗한 시골 마을에서 탄생하는 이 장난감들을 잘 살펴보면 나무의 질감과 색감이 그대로 남아 있는 부분이 있는데, 그 부분은 세계 곳곳의 아이들에게 나무를 느끼게 하고 싶은 할아버지의 마음이다. 오래 가지고 놀다 보면 손때가 묻어 색이 짙어지는 그 부분을 바조는 사랑한다. 폴란드의 한 마을, 30여 년 동안 한결 같은 정성으로 나무를 다듬는 사람들은 쉽게 사고 쉽게 버려지는 장난감이 아니라 부모와 아이에게 오랫동안 친구가 되어줄 장난감을 만든다.

bajo.co.kr

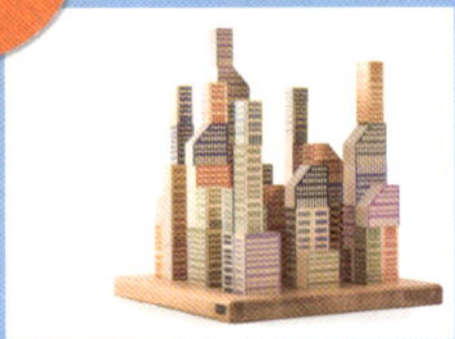

맨하탄 블록

바조 할아버지의 건축가로서의 사심이 가득 들어간 맨하탄 블록. 6개의 모양과 9개의 색이 섞인 54개의 블록으로 나만의 빌딩을 세울 수 있다. 아이와 같이 즐기다 보면 어른들은 미처 생각하지 못한 창의력 넘치는 구조물이 탄생한다.

85,000원

스웨덴 세 엄마의 마음

씽크

아이의 건강한 식생활을 위해 따져야 할 것은 식재료뿐만이 아니다. 매일 쓰는 식기가 어디에서 어떻게 왔는지도 한 번쯤은 살펴볼 필요가 있다. 스웨덴 남부 외스테렌Österlen의 화창한 어느 가을날, 세 명의 엄마가 내 아이와 가족을 위한 심플한 디자인의 식기를 만들기 위해 머리를 맞대었다. 그렇게 탄생한 '씽크'는 스웨덴의 친환경 뱀부(대나무)를 소재로 한다. 브랜드명 씽크Cink의 어원은 다섯이라는 뜻의 프랑스어 'Cinq'로 외스테렌의 다섯 가지 자연인 안개, 호밀, 벽돌, 비트, 바다의 색을 담고 있다. 단순한 디자인이지만 세련된 뉴트럴 컬러가 씽크만의 개성을 나타낸다. 모든 포장재는 재활용된 종이를 사용한다. 어른들이 환경을 지켜야 앞으로 아이들이 자라날 세상이 더 나아질 거라는 확신으로, 건강하고 안전한 제품을 만들고 있다.

•

cink.kr

recommended product

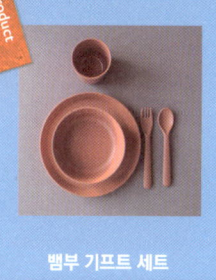

뱀부 기프트 세트

보울, 플레이트, 컵, 스푼, 포크 총 다섯 가지 구성으로, 유아식 단계 아이들에게 꼭 필요한 아이템으로만 모아 만든 세트. 넉넉한 크기의 보울과 플레이트로 어른들의 공간에도 어울리는 식기들이다. 선물용으로도 인기가 좋다.

54,000원

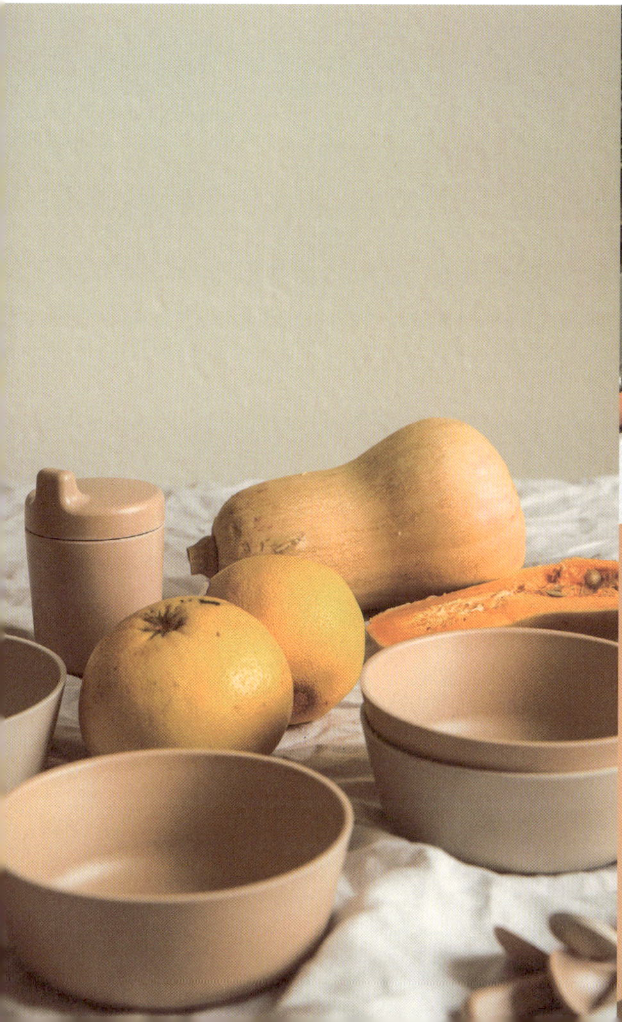

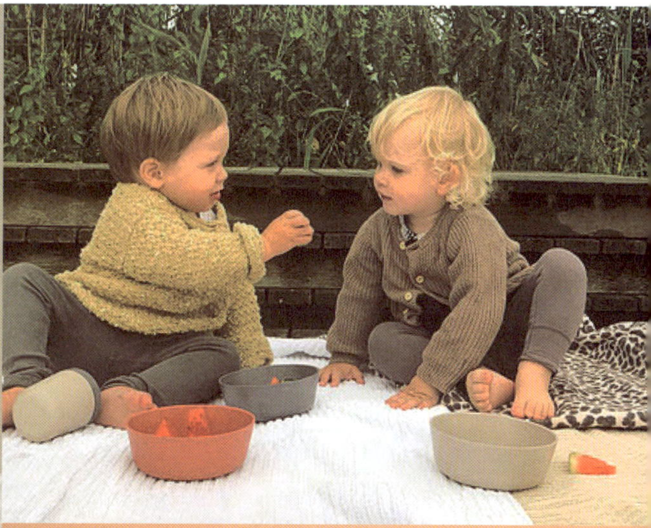

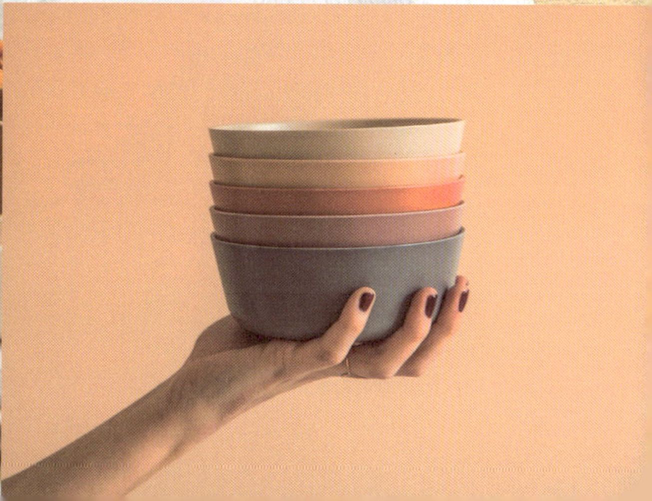

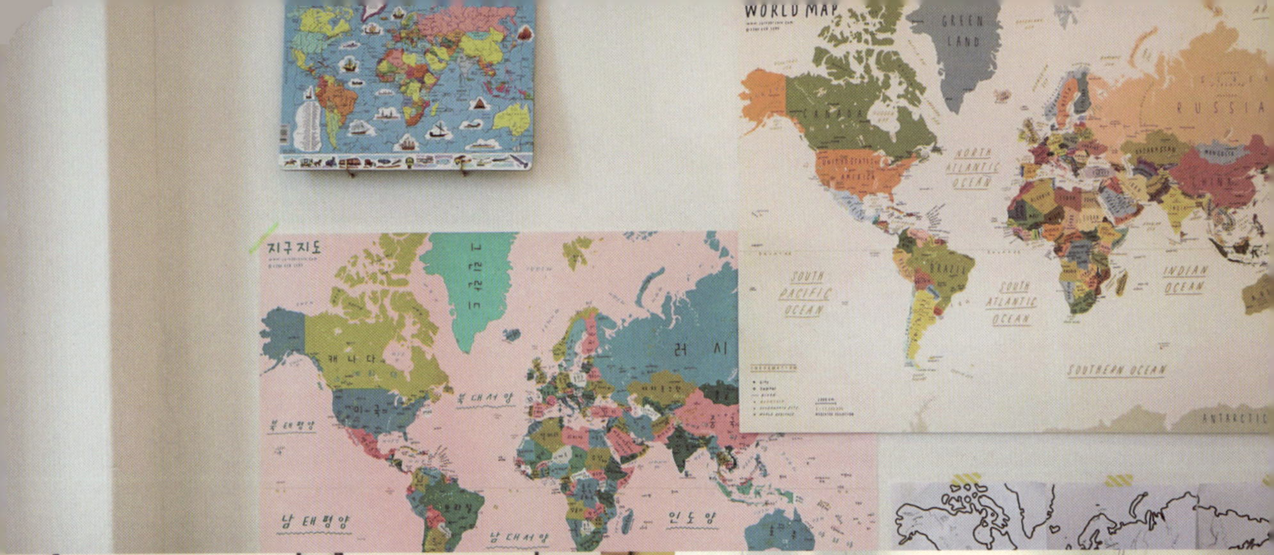

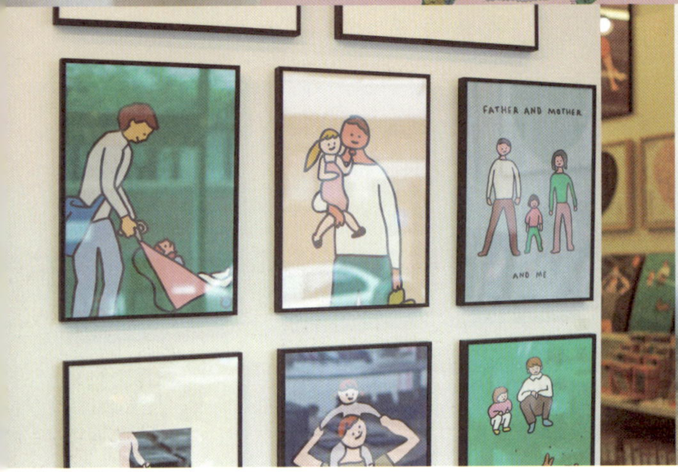

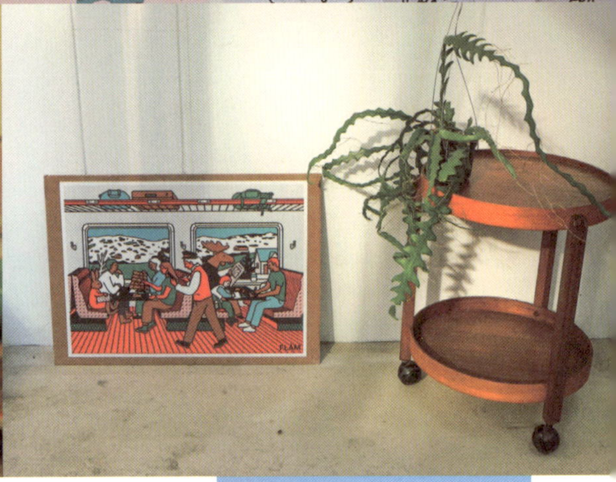

서울에서 만나는 세계의 지도

제로퍼제로

서울을 근거지로 한 수많은 브랜드 중 아마도 도시와 가장 연관이 깊은 브랜드, 바로 '제로퍼제로'다. 일러스트와 그래픽디자인을 기본으로 콘텐츠와 스토리가 있는 문구, 리빙 제품을 제작해 판매하고 있으며 크게 가족과 여행, 도시를 테마로 한 작업이 주가 된다. 그중에서도 눈길을 끄는 것은 여러 도시의 지하철 노선도를 상품화한 레일웨이 포스터와 시티맵이다. 덕분에 우리는 딱딱하고 지루하지 않은, 매력적인 도시들의 노선도와 지도를 손에 쥘 수 있게 되었다. 대한민국 서울의 노선도는 도쿄와 오사카에 이어 세 번째로 만들어졌다. 2007년 처음 디자인할 당시에는 밀도 높은 앞 도시들에 비해 지하철역이 적었기 때문에 노선도가 허전해보였지만, 서울의 아이콘으로 태극기를 택하며 완성도를 더했다. 그 이후 계속 이어진 업데이트를 통해 2019년 서울 지하철 노선도가 완성되었다. 제로퍼제로는 이런 작업을 통해 시간이 지나도 그 가치가 변하지 않는 작업을 이어가고 있다.

zeroperzero.com

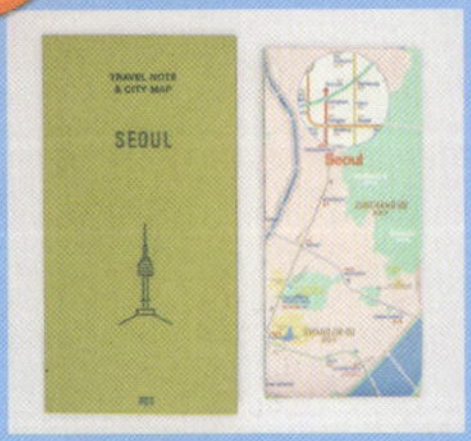

서울 트래블노트

서울 트래블노트는 시티맵 콘셉트를 문구로 확장한 버전이다. 내지 종류는 세 가지이며, 서울 시티맵과 월드맵까지 포함되어 있어서 실용적인 면과 재미를 함께 얻을 수 있다.

11,000원

독일에서 찾은 어린이의 보물들

당케샵

독일을 중심으로 유럽에서 찾은 키즈 굿즈를 소개하는 온라인 셀렉트 숍이다. 슈투트가르트에서 원목 장난감을 만나게 된 뒤, 아이에게 따뜻한 자극을 주며 오랫동안 간직할 수 있는 물품들을 한곳에 모으기 시작했다. 대표 제품은 발도르프 교구로 잘 알려진 그림스다. 아이 개개인의 자질을 존중하고 창의성을 키워주는 발도르프의 이념에 영향을 받아 장난감을 가지고 놀면서 스스로 깨우치고 만들어가도록 설계되었다. 그림스의 모든 장난감은 친환경적인 원료로 만들어지고 모든 공정이 수작업으로 이루어지며, 실제 발도르프 학교와 몬테소리 학교는 물론 독일의 일반 유치원과 가정집에서도 쉽게 찾아볼 수 있다. 당케샵은 그림스 말고도 유럽 곳곳에서 어린이들의 보물을 발견하고 있다. 일상에서 우연히 지나치거나 인연이 되어 만나는 부모와 아이들에게 영감을 얻기도 한다. 처음 아이들을 위해 고민했던 마음가짐을 이어오며, 그 생각을 충족시키는 물건들만을 선택한다.

•

dankeshop.kr

recommended product

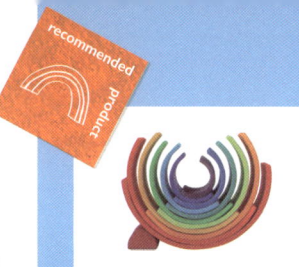

빅 레인보우

열두 개의 나무 조각으로 구성된 원목 무지개로, 구조는 단순하지만 풍부한 활용성을 지녔다. 아름다운 색감과 정교한 완성도 역시 또다른 매력. 아이들은 각각의 조각으로 다양한 것을 만들고, 표현하고, 스토리를 전개하며 상상력을 펼칠 수 있다.

145,000원

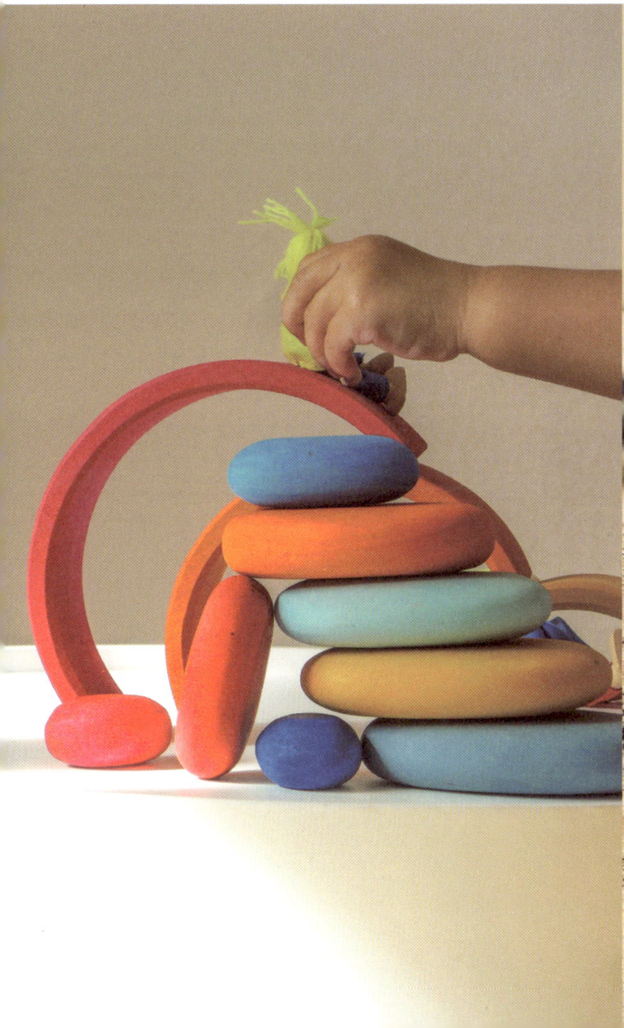

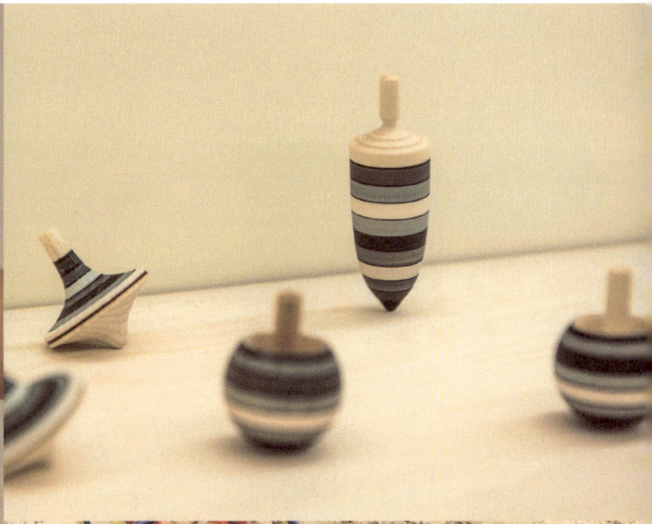

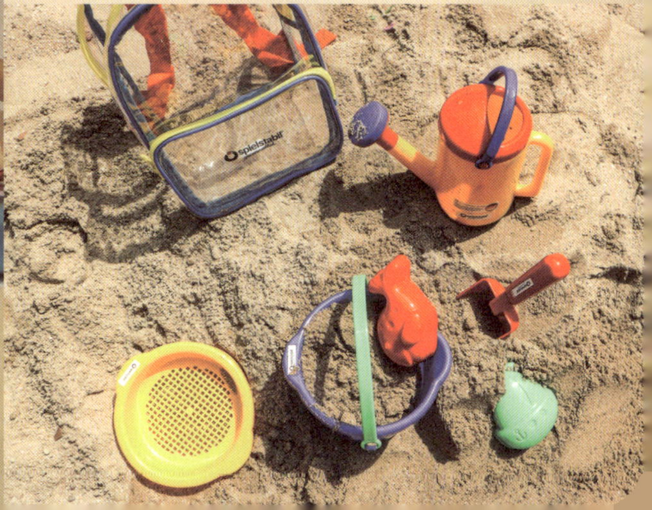

LIVING IN ANOTHER CITY

우리도 한번쯤 떠나볼까?

한 달 동안 우리 가족의 집이 되어줄 숙소를 고르고, 공기마저 낯선 도시에서 살아보는 시간. 적당한 타이밍을 찾아 기대 반, 걱정 반을 품고 떠나 낯선 도시에서 한달살기를 하고 온 가족들은 하나같이 입을 모아 이야기한다. 인생에서 한 달쯤은 느리게 살아도 괜찮더라고. 그리고 내 아이, 나, 우리 가족에게 꼭 필요한 시간이었다고. 우리도 한번 떠나볼까? 원하는 도시에서, 한달살기.

제주도 한달살기

진서연 가족(부부, 15개월 아이) | 언리얼 스튜디오 대표

워라밸이 간절하던 순간

사실 한달살기를 로망처럼 꿈꿔오던 건 아닌데, 일에서 도망칠 궁리가 필요했달까요? 이곳으로 오기 전 50일가량을 단 하루도 쉬지 못하고 일에 치여 육체적, 정신적으로 저희 부부가 너무 힘든 시기가 있었어요. 인이에게도 미안했고요. 보통 프리랜서는 한달살기가 쉽게 가능하다고 생각할 수 있는데 어떻게 보면 더 어렵기도 해요. 일이 곧 수입이니까요. 하지만 지칠 대로 지친 저희 부부에게는 재충전이 정말 간절했고 인이와도 함께하는 시간이 많이 필요하다고 생각해 큰 결심을 내렸죠. 아이가 15개월이라 해외는 애초에 고려하지 않았고 처음부터 제주도만 생각하며 계획을 짰어요.

너무나 일상적이라서 소중한

매일 스튜디오와 모니터 앞에서 하루의 대부분을 보내던 저희에게 제주도의 따뜻한 햇살, 맑은 공기와 하늘, 아름다운 노을을 만끽하던 한 달이라는 시간은 정말 큰 행복이었어요. 심지어 태풍까지도요. 이렇게 가까이서 태풍에 부서지는 파도를 본 건 처음이거든요. 저희는 대부분 아이와 함께 돌아다닐 수 있는 비교적 쉬운 코스들을 선택해 다녔어요. 별다른 체험 활동을 하기보다는 서울에서 보기 힘든 자연 경관을 아이에게 많이 보여주고 싶었거든요. 그런 경험을 통해 인이에게 자연에서 에너지를 얻는 방법을 알려줄 수 있어서 참 좋았어요. 또 가족사진을 많이 남겼죠. 돌이켜보니 사진 찍는 일이 직업인데 제대로 된 가족 여행 앨범 하나가 없다는 걸 깨달았거든요. 매일 바쁜 일상에 치이다 보니 가장 중요한 걸 놓치고 살았다는 기분이 들었어요. 인이가 나중에 글을 읽을 수 있는 나이가 되면 설명과 함께 보여주려고 사진들에 그때 상황을 따서 이름도 붙여놨어요. "금능해변에서_인이_첫서핑", "송악산둘레길에서_말을_만났다".

조금은 흐트러져도 괜찮아

아쉬운 점이 있다면 그동안 열심히 다져온 인이의 생활 패턴이 무너졌다는 것인데요. 인이는 태어난 지 한 달 무렵부터 혼자 자기 방에서 자왔거든요. 그런데 여기서는 저희가 함께 더 같이 있고 싶은 마음에 아이를 데리고 잤어요. 집에서는 늘 일정한 시간에 잠들고 일어나고 식사도 무척 규칙적으로 해왔는데 그것도 흐트러지게 되었고요. 아이를 키우면서 정말 중요하다고 생각하며 엄격하게 지켜오던 규칙을 무너뜨려 조금 자책감도 들지만 전혀 후회는 없어요. 하루빨리 루틴을 되찾아주는 게 한달살기를 마치고 남은 저의 숙제랍니다.

한달살기를 고민하는 가족에게

어떤 분은 무언가를 할지 말지 결정할 때 자신이 80세가 된 모습을 상상해본다고 해요. 80세에 이 일을 한 걸 후회할 것인가, 하지 않은 걸 후회할 것인가를 생각해보면 판단이 아주 쉬워진다는 거죠. 저도 그 이야기를 듣고 제가 마음속에 품고 있는 많은 계획들을 되짚어보았어요. 늘 머리와 마음으로는 품고 살지만 실행하기 어려운 것들이에요. 한달살기도 그중 하나였고요. 여든이 되어 되짚어보면 인생에 한 달쯤은 쉬어도 되잖아요? 아니, 어쩌면 그 한 달이 인생에서 가장 반짝이는 순간이 될 수도 있죠.

제주도 한달살기 TIP

1 총 비용 약 450만원 (3인 가족 기준)
  비행기 티켓 25만원
  차량 탁송 65만원
  숙소 130만원
  식비 180만원
  생활비 50만원
2 숙소 선택 시 빨래가 매일 가능한 곳인지 확인할 것.
3 아이와 물놀이를 한다면 금능해수욕장을 추천한다. 해변의 모래가 곱고 경사가 완만하며 10월에도 물이 따뜻해서 아이와 함께 늦은 해수욕이 가능하다.
4 제주도 남서쪽 안덕면 화순리 언덕에 위치한 '두블랑'이라는 숙소는 방에서 보이는 산방산의 뷰가 멋져 추천한다.
5 서핑을 즐기고 싶다면 검색 사이트에 '서핑스쿨'을 검색해보자. 다양한 클래스와 장비들을 렌트해주는 업체들을 확인할 수 있다.

파리와 런던에서 한달살기

김지현 가족(엄마, 열세 살, 여덟 살 아이) | 《런던x파리에서 아이들과 한 달 살기》 저자

한 번쯤 꿈꿔본 게으른 시간

3년 전 열세 살인 큰 아이와 여덟 살인 막내와 유럽에서 한달 살기를 했어요. 당시에 저는 아이들과 영어 공부가 목적인 여행보다는 그 나라의 문화, 생활, 특히 박물관과 미술관을 다양하고 깊이 있게 체험해보는 한달살기를 해보고 싶었어요. 사정상 남편 없이 저 혼자 아이들을 데리고 다녀야 해서 영어가 통하고 치안이 좋은 나라를 고르다 보니 영국 런던이 제격이었죠. 그래서 런던만 머물까 하다가 이왕 간 김에 딸이 평소에 너무 가보고 싶어하던 파리까지 다녀오게 되었어요. 그렇게 런던에서 3주, 파리에서 2주, 총 5주를 지내고 왔어요.

늘 찾고 있던 '떠남'의 타이밍

아이들이 어릴 땐 어리다는 이유로 여행 가는 게 힘들었고 아이들도 부모도 지치기 때문에 선뜻 나서지지가 않았어요. 그러다 아이들이 어느 정도 스스로 컨트롤 할 수 있는 나이가 되니 이제 떠나도 되겠다는 생각이 들더라고요. 학교 공부도 중요하지만 아이들과 온종일 함께 지내며 다른 나라에서 지내보는 것 또한 큰 교육이고 소중한 시간이 될 것을 알기에 과감하게 실행에 옮겼습니다. 특히 짧은 여행에서는 느낄 수 없는 여유로운 마음을 가지고 특별한 계획 없이 지내보자는 게 이 여정의 목표였죠. 사실 3년 전만 해도 유럽에서 한달살기에 대한 정보를 얻는 게 쉽진 않았어요. 오히려 그 덕분에 현지 사람들을 바라보며 어떻게 살아가는지, 무엇을 먹고 사는지 살펴볼 여유가 생겼어요. 게다가 미술관과 박물관에 가서도 수박 겉핥기식으로 둘러보는 게 아니라 보고 싶을 때까지 충분하게 즐길 수 있었죠.

살아보며 체험하는 공부

저희 가족의 한달살기 스타일은 처음부터 확고했어요. 계획에 이끌려 가는 하루를 보내는 것이 아니라 그곳의 상황과 날씨에 따라 하고 싶은 일을 그때그때 찾아 해보자는 것이었죠. 그래서 보통 아침에 일어나 동네의 맛있는 빵집에서 간단하게 아침을 먹고 아이들과 함께 가보고 싶던 박물관과 미술관을 자주 갔어요. 그곳에서 아이들이 체험하고 싶어 하는 프로그램이 있다면 당일 현장에서 참여했고요. 아이들은 파리에서 갔던 자연사 박물관이 가장 멋진 장소였다고 지금도 이야기해요. 우리나라 박물관과 다르게 멋지고 웅장하게 전시된 동물 박제들이 아이들과 저에게 많은 추억을 남겨주었거든요. 사실 아이들이 박물관이나 미술관에 가기 싫어하면 어쩌나 걱정도 했어요. 엄마만의 욕심이 아닐까 싶었던 거죠. 그런데 처음에는 재미없어하는 듯하더니 시간이 지날수록 너무 좋아하고 더 가고 싶어 하고 보고 싶어 하더라고요. 참 뿌듯했어요. 아이들 스스로 직접 보고 느끼는 것이 그 어떤 교육보다 더 크다는 것을 몸소 체험한 거죠. 시간이 지나서도 가족과 함께 이야기하며 공유할 수 있는 공통된 추억을 만든다는 건 아이가 자라면서 도움이 될 무엇보다 중요하다고 생각해요.

파리와 런던 한달살기 TIP

1 총 비용 약 860만원 (3인 가족 기준)
　비행기 티켓 240만원
　숙소 350만원
　현지 교통비 35만원
　박물관 및 미술관 입장료 20만원
　식비 65만원
　외식비 100만원
2 유럽도 비수기(12~3월)를 공략하면 저렴한 한달살기가 가능하다. 대신, 따뜻한 날씨는 포기해야 한다는 점!
3 장기적으로 묵을 숙소는 에어비앤비로 예약한 뒤, 호스트에게 미리 연락해 장기 숙박 할인이 가능한지 체크해보자.

말레이시아 한달살기

김민진 가족(엄마, 일곱 살 아이) | 그림 작가

다양한 경험들이 쌓일 수 있도록

이안이가 일곱 살인 겨울에 약 4주간 말레이시아 수도인 쿠알라룸푸르에서 아들과 저, 단둘이 생활했습니다. 말레이시아는 제 친구가 살고 있는 곳이기도 하고, 안전하면서 영어 학원이 잘되어 있다는 이야기를 들어 결정하게 되었어요. 개인적으로 육아에서 가장 중요한 건, 엄마와 아빠가 가능한 범위 내에서 아이에게 최대한 다양한 경험과 생각의 기회를 제공해주고 많은 대화를 나누는 거라고 생각하거든요. 그런 면에서 다른 도시에서의 한달살기는 최고의 선생님이자 스스로 생각 주머니를 크게 부풀릴 수 있는 레슨이죠. 평범한 일상의 행복도 좋지만 우리와 다른 문화와 언어, 음식, 사람들을 보고 만나고 느끼며 아이 스스로 체득하는 것은 정말 소중한 자산이에요.

영어 공부와 외국 체험의 일석이조

한달살기를 하면서 아들과 하루 종일 함께하는 건 원하지 않았어요. 둘이서 함께하다가 때로는 혼자서 생활하는 게 좋다고 생각했죠. 그래서 특별한 날을 제외하고 이안이는 월요일부터 금요일까지 영어 학원을 다녔어요. 나중에 알게 된 사실이지만, 쿠알라룸푸르에는 국제학교가 많아 어학 공부만을 위해서 한달살기를 하는 분들이 있을 정도로 만족도가 크고 체계가 잘 잡혀 있다고 해요. 그래서 한국에서 국제학교를 가기 전에 다니기도 하고, 저처럼 다른 나라 친구들과 함께 생활하고 공부하는 기회를 만들어주고 싶어서 보내는 부모들도 있어요. 이안이가 다닌 어학원은 몽키아라에 위치한 엘리트 어학원이에요. 한국인 원장님이 계시고 일본, 파키스탄, 중국, 인도 등 여러 나라에서 온 친구들과 함께 수업한답니다. 참, 한국에서는 하지 않던 매일 아침 도시락 싸기가 일이긴 했지만 아이가 잘 먹고 오니 기분 좋게 적응이 되더라고요. 원장 선생님과 아이의 성향과 영어 학습에 대해 충분히 상담한 후 현지에서 테스트를 보고 반을 배정받아요. 우리나라와는 다르게 나이가 아니라 실력에 따라 반을 나누죠.

그곳만의 특별한 액티비티 체험

이안이도 저도 말레이시아에서 특별한 액티비티를 경험했는데요, 참 좋은 기억으로 남아 있어요. 바로 쿠알라룸푸르 교외에서 체험한 반딧불 투어요! 전 '투어말레이시아'라는 업체를 통해 예약했어요. 크리스마스이브에 갔었는데 반딧불을 보기 전까지 두 시간이라는 긴 기다림이 있긴 했지만 작은 배를 타고 들어간 그곳은 정말 환상이었어요. 참, 모기약은 필수랍니다! 반딧불이들이 나무에서 뿜는 아름다운 빛 덕분에 잔잔한 자연의 아름다움을 느낄 수 있었어요. 이안이도 그때는 숨을 죽이고 반딧불이들이 만드는 빛 축제를 감상하더라고요. 다녀와서도 반딧불이들이 우리에게 크리스마스트리를 선물로 주었다고 좋아하는 모습에 저까지 기분이 좋고 기억에 오래 남는 시간이었어요.

말레이시아 한달살기 TIP

1 총 비용 약 550만원 (2인 가족 기준)
  비행기 티켓 140만원
  공항 벤 서비스 왕복 20만원
  숙소 130만원
  어학원 100만원
  투어 30만원
  생활비 130만원
2 쿠알라룸푸르의 영어 어학원을 찾는다면 '엘리트 어학원'을 추천한다. 한국인 원장님과 카카오톡(ID: Elite Global)으로 충분한 상담이 가능하다.
3 네이버 카페의 '일년에 한 도시 한달살기', '투어 말레이시아', '마이 말레이시아', '스사사'를 참고하면 다양한 자료 조사가 가능하다.
4 숙소 'Plaza Acadia'는 비교적 깨끗하고 넓으며 가성비가 뛰어난 곳이다. 시내 한가운데에서 거리가 조금 있지만 일정을 잘 짜면 문제없다.

하와이 한달살기
전세영 가족(부부, 26개월 아이) | 회사원

때로는 과감하게

회사원인 저희 부부는 한 달이라는 시간을 내기가 쉽지 않았는데요, 남편 회사의 리프레쉬 휴가 시점과 저의 둘째 출산휴가 시기가 맞아 적절한 타이밍이 생겨 떠나게 되었죠. 처음 한달살기 여행을 계획하면서 가장 고민하던 부분은 어느 도시를 갈까였어요. 시기가 2018년 12월부터 2019년 1월로 정해지면서 따뜻한 곳으로 가야겠다는 생각을 했고, 당시 만삭 임산부였던 저와 26개월인 어린아이가 함께하는 긴 여행이니만큼 혹시나 모를 상황들에 대비해 의료 시설이 잘 갖춰진 곳으로 좁혀졌죠. 최종적으로 호주와 하와이 두 곳이 후보에 오르게 되었고 의사 선생님과 상담 후 비행 시간과 차량 이동 시간이 비교적 적은 하와이로 결정하게 되었답니다.

하와이로 떠나기 위한 준비들

저는 《디스 이즈 하와이》, 《저스트 고 하와이》, 《인조이 하와이》 같은 책을 틈나는 대로 읽으며 하와이의 주요 명소들과 맛집들과 관련된 정보들을 많이 참고했어요. 그 외에 좀더 구체적으로 궁금하던 하와이 해변의 수심이나 수온, 그늘 여부, 바다거북 체험 같은 정보들은 저희 가족과 비슷한 컨디션으로 여행을 떠난 지인이나 블로그가 많이 도움 되었고요.

따뜻한 햇살과 바다 그리고 거북이

하와이에서는 보통 숙소 근처 괜찮은 해변이나 공원을 정해 자리를 깔고 시간을 보냈어요. 다른 도시에 가면 그곳의 맞춤 프로그램을 체험하는 가족도 있지만 저희는 그런 건 따로 신청하지 않았어요. 저희에게 한달살기는 일상을 벗어나 또 무언가를 배우고 학습하며 보내는 게 아니라 몸과 마음을 가장 편안히 하며 보내는 거였거든요. 아이는 모래놀이를 하고 남편은 게를 잡아 아이에게 보여주며 웃고 즐기는 그저 평온한 나날들이었어요. 만약 오하우에서 지내신다면 꼭 노스쇼어 North Shore에서 머물러 보세요. 보통 와이키키 지역에 머물면서 노스쇼어는 쓱 둘러보고 지나가는데 이곳의 비치 하나하나가 참 좋고, 특히 터틀 베이 리조트 Turtle Bay Resort 내에 쿠일리마 코브 Kuilima Cove는 다른 곳들에 비해 깔끔한 컨디션에서 스노클링을 할 수 있어요. 그리고 무엇보다 노스쇼어의 밤하늘이 정말 예뻐요. 별이 쏟아질 듯하죠. 다른 섬으로는 빅아일랜드의 칼스미스 비치 Carlsmith Beach Park가 가장 기억에 남아요. 특히 아이와 함께한다면 이곳을 강력하게 추천해요. 하와이에서 바다거북을 만날 수 있는 해변이 워낙 많다 보니 대단한 매력 포인트가 아니라 생각할 수 있지만, 이곳에선 바다거북이랑 수영도 하고 교감을 할 수 있거든요. 첫째는 요즘에도 하와이 하면 거북이 친구가 있는 곳으로 기억하고 있어요.

후회 없는 한 달의 시간

가족이 한집에 함께 산다고 해도 온전히 서로에게 집중할 수 있는 시간은 하루에 한 시간도 될까 말까 한 게 현실이잖아요. 한 달 내내 함께 자고 먹고 놀면서 좀더 끈끈한 가족애가 생긴 느낌이에요. 아이에게도 우리 가족이 함께하면 어느 나라, 어디에서나 잘 지낼 수 있다는 믿음과 그런 힘이 생긴 걸로 기억되었으면 좋겠어요. 혹시 한달살기를 고민 중이라면 너무 걱정 말고 떠나세요. 그리고 그 일정에는 아이 의견도 반영해주세요. 아이 역시 확실한 가족 구성원으로 거듭난 기분이 들 수 있답니다.

하와이 한달살기 TIP

1 생활비 1,000만원 (3인 가족 기준)
2 특수한 상황 때문에 의료 시설이 잘 갖춰진 도시를 골라야 한다면 하와이를 추천한다.
3 오랜 시간 머물 숙소에서는 세탁기가 있고 간단한 조리가 가능한지, 주변에 마트가 있는지 체크하자.
4 하와이 내에서 이동할 때 필요한 비행기 티켓은 미리 끊어놓아야 저렴하다. 항공사들의 연계 서비스를 잘 활용하면 섬 하나 정도는 티켓을 무료로 예매할 수도 있다.

뉴질랜드 한달살기

지인미 가족(엄마, 네 살 아이) | 회사원

아이와의 온전한 시간이 필요해

한달살기를 결심하게 된 건, 전년도 말에 한국을 뒤덮은 미세먼지와 황사 때문에 병원 신세를 지게 된 제 딸을 보면서였죠. 입원한 아이를 지켜보며 그간 워킹맘으로서 오롯이 아이에게 집중하지 못한 미안한 감정들이 크게 느껴졌어요. 그래서 엄마와 딸의 진한 애착형성을 위해 남편의 전폭적인 지지 아래 뉴질랜드로 한달살기를 떠나게 되었답니다.

파란 하늘 아래 초록빛 잔디 위에서

저희가 생활한 3월은 뉴질랜드의 초가을로 아이와 생활하기에 너무나도 완벽한 날씨였어요. 산, 바다, 공원, 새파란 하늘과 낮은 구름 등 아름다운 자연을 벗 삼아 즐기기만 해도 하루가 금방 흘러갔죠. 첫 2주는 자연을 즐기면서도 틈틈이 시내를 돌아다니며 아쿠아리움, 미술관, 박물관, 도서관, 공원, 장난감 숍들을 방문했어요. 어렵게 얻은 이 귀한 시간 동안 아이에게 가능한 많은 볼거리를 제공하고 싶은 마음이었죠. 하지만 어린아이의 컨디션과 한국에 돌아가서 처리해야 할 일정들을 위해 너무 무리하지 말자 싶어, 남은 2주는 숙소 근처 동네를 탐방하며 아이와 저를 위한 요양과 힐링의 밸런스를 맞추며 보냈어요.

어린아이도 함께할 수 있는 추천 코스

사실 미취학 아동이 해외에서 즐길 수 있는 프로그램이나 수업은 많지 않아요. 부모가 항상 함께 다니는 것이 보통이죠. 그런데 뉴질랜드에서는 아이도 어른도 함께 성취감을 맛볼 수 있는 코스가 있어요. 사방이 탁 트인 멋진 뷰를 볼 수 있는 데번포트Devon Port의 빅토리아 마운틴Mount Victoria, 페리를 타고 30분이면 갈 수 있는 인근의 와이헤케섬Waiheke Island인데요. 딸아이와 함께 2km의 꽤 높은 언덕과 평지로 되어 있는 해변 산책로를 걸으며 그곳에서 열린 전시회

〈Sculpture on the gulf〉에서 뉴질랜드 아티스트들의 조각 작품들도 감상할 수 있었어요. 자연 풍광과 어우러진 작품들이 말로 표현할 수 없을 정도로 아름다웠고, 네 살 아이가 걷기에는 조금은 험한 길도 있었지만 장장 네 시간에 걸쳐 함께 성공했다는 기쁨이 딸아이에게 뿌듯함을 안겨준 것 같아 그 어떤 수업보다 좋은 학습이 되었어요. 어린 자녀와 함께하신다면 꼭 추천하고 싶어요.

꼭 필요했던 딸과의 한달

워킹맘이어서 아이와의 초기 애착형성이 부족하다는 죄책감이 늘 있었어요. 이번 한달살기라는 시간을 통해 그 부분이 많이 해소된 것 같아 가장 좋았죠. 아는 사람 하나 없는 곳에서 서로 의지해야 하기 때문에 생기는 동지애 같은 걸 딸과의 관계에서 느꼈어요. 또 아이가 세계 시민으로 성장하는 데 필요한 눈높이를 낮추어줄 수 있어서 좋았어요. 물론 더 긴긴 시간이 지나야 효과를 확인할 수 있을 테지만요. 11월부터는 최근 좋은 교육 환경과 낮은 물가로 각광받고 있는 말레이시아의 조호르바루에서 두세달살기를 계획하고 있어요. 아직 네 살이라 특별히 어떤 기억이 남길 바란다기보다는, 모든 사람을 차별 없이 보는 눈을 가지길 바라요. 그리고 저처럼 어린아이와 함께 떠나신다면, 육체적인 피로는 각오하셔야 해요. 현지의 교육기관에 맡기기 힘드니 오롯이 아이와 함께해야 하고, 낯선 곳에서 매일매일 지내다 보면 피로를 회복할 시간이 많이 없거든요. 그래도 다행히 뉴질랜드의 여유로운 분위기와 때 묻지 않은 자연 덕에 매일매일 힐링은 할 수 있었죠. 아이가 너무 어릴 때 떠나는 건 아니라고 생각할 수도 있지만 네 살인 저희 딸은 그동안 호주, 뉴질랜드, 캐나다, 미국, 중국 등 한달살기를 했던 곳에서 만난 친구들의 이름과 어느 나라에서 어떤 장난감을 샀는지까지 대부분을 여전히 기억하고 있답니다.

뉴질랜드 한달살기 TIP

1 총 비용 약 730만원 (2인 가족 기준)
비행기 티켓 80만원
숙소 400만원
생활비 250만원

2 3월의 뉴질랜드 초가을은 아이와 함께 생활하기에 완벽한 날씨다. 한국은 그 시기가 미세먼지가 가장 심한 계절이기도 해 이 때의 한달살기를 추천한다.

3 호텔을 이용한다면 청소 서비스가 되는지, 식기세척기와 세탁기, 빨래 건조기가 모두 구비되어 있는 곳인지 꼭 체크하자. 아이와 함께 하는 장기 투숙이라 이런 서비스가 없는 곳이라면 불편함이 생긴다.

MY FRIEND'S DADDY IS AN AMERICAN

이룸은 태어난 지 25개월이 지나 어린이집에 다니기 시작했다 처음 등원하는 날 교실 안에서 또래보다 우뚝 솟아있던 아이를 기억한다. 이름은 '룩'이다. 석 달이 지나자 하원 후 집에 가지 않으려는 아이들이 생겼다. 이룸과 룩은 하원 시간이 비슷해 근처 공원으로 옮겨 놀다가 헤어지곤 했다. 그저 함께 뛰고 멈춰서 나뭇가지로 바닥을 긋거나 나뭇잎을 살피고 킥보드를 타는 날들이었다. 햇볕을 피해 솟아 있는 나무 아래에 쉴 때면 아이들 얼굴에 나뭇잎이 일렁댔다. 어느 여름날이었을 거다. 집에 가는 길에 이룸이 토끼눈을 하며 말했다. "엄마 룩이가 그러는데, 룩이 아빠는 미국 사람이래."

축하해 줄 수 있는 마음

아이들이 네 살이 되자, 약속을 정하고 여러 곳을 다니기 시작했다. 서점을 가고 전시를 보거나 공원에 가고 박물관엘 갔다. 그사이 알게 된 공통점들이 쌓여갔다. 둘은 채소를 잘 먹고 군것질을 자주 하지 않는다. 책을 좋아하고 역할놀이를 즐긴다. 관심사는 달랐지만 오랜 시간을 함께해도 투덕거리는 일이 적었고, 싸우더라도 각자 엄마의 설명을 들으면 금세 화해했다. 덕분에 나와 룩이 엄마는 서로의 육아를 구원해줄 든든한 동지가 되었다.

그렇다고 갈등이 없던 건 아니다. 낮잠을 자지 않는 날 룩이는 여지없이 여섯 시만 되면 울상이 되었다. 이룸이 룩의 의자에 앉아서, 이룸이 먼저 밥을 먹어서 등 평소에는 괜찮은 일도 그 시간만 되면 눈물이 날만큼 속상해지곤 했다. 이룸은 이동 중 자기가 좋아하는 노래가 나오지 않는다고 툴툴거리거나 차 안이 너무 덥다고 짜증을 내기도 했다. 둘은 서로 좋으면서도 서로 때문에 화가 나는, 아직은 덜 영글고 서툴기만 한 어린이였다.

하원 후 룩이네 집으로 향하는 날이 많아졌다. 놀다가 룩이 아빠가 회사에서 돌아오면 서재 의자를 끌어와 옹기종기 모여 밥을 먹었다. 그는 한국계 미국인으로 미국에서 태어났다. 이룸에게 룩이 아빠는 안경을 쓰고 괴물 놀이를 잘해주면서 (아빠와 다르게) 영어를 잘하는 삼촌이다.

가끔 남편도 룩이네로 퇴근을 하면 우리는 더 촘촘히 앉아 저녁을 먹었다. 일상의 관계가 형성되던 즈음 아이들의 유치원 원서 접수 기간이 다가왔다. 우리는 함께 처음학교로 접수 방법부터 1, 2, 3순위를 의논했다. 결과가 발표되던 날, 이룸은 1지망 유치원에 선발되었고, 룩이는 대기 70번이었다. 그때 룩이 엄마가 한 말을 기억한다.

"이룸이가 되어서 다행이야. 룩이는 몇 년 뒤에 미국에 들어갈지도 모르는데, 오래 다닐 수 있는 이룸이가 되길 바랐어."

그 말이 두고두고 기억에 남았다. 그 대답은 아이를 낳고 기르는 사이 나도 모르게 겪어오던 비교와 경쟁, 시기와 질투, 훈계와 충고에서 벗어나 있었다. 자신이 날마다 기도해온 소망을 상대가 이뤘음에도 축하해줄 수 있는 마음, 그건 진심이라는 걸 나는 안다.

가을의 캠핑

늦여름이 되었다. 룩이 엄마한테 전화가 왔다. 캠핑 페어에서 급하게 텐트를 샀다고, 같이 캠핑을 가자고 말이다. 그날부터 우리의 대화에는 캠핑이 추가되었다. 나는 보관할 곳이 없다는 이유로 들이지 못한 캠핑용품들을 추천했고, 룩이 엄마는 성실하게 질렸다.

캠핑장에 도착했다. 아빠들이 텐트를 치고 엄마들은 테이블과 의자를 세팅했다. 아이들은 조금 돕다 돌을 줍고 흙덩이를 벗 삼고 고양이를 쫓아다니며 놀았다. 룩이 아빠가 준비해온 미국 숯에 남편이 사 온 고기를 얹었다. 아이들은 어느새 빈 접시와 포크를 손에 들고 불 앞에 조르르 앉았다. 식사를 마치고 멍하게 불을 바라보다 마시멜로를 구워 먹고 불꽃놀이도 했다. 그리고 룩이네 텐트에서 함께 잠을 잤다. 히터로 데워진 훈훈한 공기 속에서 듣던 대로 룩이 아빠는 코를 골았고 이룸이 덥다고 이불을 걷어찼다. 가을이 깊어간다.

든든한 아군

룩이네는 우리에게 한국계 미국인인 매튜, 스칼렛 가족을 소개해줬다. 파주의 캠핑장에서 처음 만났는데, 나와 남편은 각자의 이름을 질문받고 크게 놀랐다. 그동안 부모로서 자신의 이름을 말해본 적이 없었던 것이다. 한국에서는 아이의 엄마, 아빠로 만나 끝내 이름을 모르고 멀어지는 경우도 많다. 이 이야길 했더니 신선해하는 건 오히려 그쪽이었다. 그러다 보니 자연스럽게 대화는 미국과 한국의 차이로 흘러갔다. 스칼렛은 미국을 자유로운 나라라 여겼던 나에게 "이렇게 아이를 풀어놓을 수 있는 곳이 있어, 참 좋네요."라고 했다. 또 한국을 정이 많은 나라로 생각하던 우리에게 "미국은 캠핑장에서 음식을 각자 해 먹지 않아요. 미국이었으면 지금쯤 캠핑장에 있는 모든 사람들과 음식을 나눠 먹었을걸요?"라고 말했다. 서로 비슷하기도 하고 다르기도 한 편견과 경험을 흥미롭게 나누었다. 나는 '아이 친구 엄마'를 만나면서 처음으로 아이보다 '나'에 대한 이야기를 많이 한 것 같다. 아이가 어떻게 크는지보다 1인칭 화법으로 나의 성격은 어떤 유형인지, 내가 어떻게 자라왔는지를 말한 거다.

집으로 돌아오는 길에 또 하나 놀란 사실이 있다. 매튜와 스칼렛의 나이가 우리보다 무려 열두 살이나 많다는 사실이었다. 그 이야기를 듣던 남편이 말했다.

"아, 고기를 내가 구웠어야 했는데…."

태어난 나라도 환경도 성격도 다른 사람들이 아이 덕분에 만났다. 나이나 직장보다 더 위인 것은 같은 시대에 비슷한 또래의 아이를 키워내며 습득한 감성 아닐까. 비슷한 처지를 기반으로 서로를 탐색하고 바라는 것 없이 자신을 드러내니, 든든한 아군이 될 수밖에 없다. 내친김에 룩이 엄마와 아빠에게도 이름을 불러봐야겠다. 안녕 진주! 안녕 데이비드!

동그란 용기

앤디는 영국인이고 유니스는 한국인이다. 유니스는 어린 시절 한국에서 살다 이민 갔지만 한국이 그리워 한국으로 왔다고 했다. 그리고 한국에서 윤서와 아람을 낳았다. 윤서와 아람, 룩과 이룸이 만났다. 첫 만남인데 '아이들이 잘 놀까'를 고민하지 않았던 내가 어리석었다. 윤서는 고개를 밑으로 떨구고 눈동자만 굴리고 있다. 낯을 가리는 성격이라고 했다. 그런데도 이룸은 윤서가 마음에 드는 눈치다. 커다란 눈에 갈색 머리, 큰 키, 핑크색 리본 핀, 레인보우 운동화. 이룸 눈에 완벽해 보이기 충분했다.
각자 자기 부모의 손을 잡아끌거나 안기면서 서로를 힐끔 관찰했다. 별수 없다. 어른이나 아이나 먼저 친해지고 싶은 사람이 다가가게 되어 있다. 이룸은 챙겨 간 WEE DOO 스티커를 윤서에게 내밀었다. 석연치 않은 표정의 이룸이 나한테 다가와서 말했다.
"저 언니가 고맙다고 안 해. 이름도 물어봤는데 얘기 안 해줘. 나랑 친구 하기 싫은 거야?"
"이룸도 부끄러운 적 있지? 어떻게 해주면 좋을까?"
이룸은 스티커 한 개를 더 달라고 했다. 윤서 옷에 붙여주고 싶다고 말했고 윤서는 자신의 옷에 동그라미 두 개가 부착되길 허락했다. 이룸이 조금 더 용기를 내본다.
"언니 우리 손 잡을까?"

윤서는 내심 바라고 있었나 보다. 고개를 끄덕이며 손을 내밀더니 둘은 손을 꼭 잡고 나무 길 사이로 사라졌다. 소개팅 주선자가 된, 나의 소임은 끝났다.
룩과 아람은 축구를 하고 윤서와 이룸은 나뭇잎을 탐색하더니 앤디의 등장으로 아이들은 모두 모여든다. 본인이 원하든 원하지 않든 앤디는 괴물이 되어야 했다. 아까 이룸이 분명 작은 목소리로, '저 삼촌은 머리가 노랗고 영어 말만 써서 좀 부끄럽다'고 했던 거 같은데 누구보다 열심히 앤디의 팔을 잡아끈다.
넷이서 '무궁화 꽃이 피었습니다'를 하고 숨바꼭질을 할 때도 윤서의 가슴팍에는 동그란 스티커가 붙어있다. 공원을 나와 밥을 먹고 차에 타려고 손을 흔들 때까지도. 이룸은 알까? 이룸이 건넨 동그라미가 얼마나 큰 용기였으며, 그 동그라미가 엄마인 나에게도 붙여졌다는 것을. 마음의 문을 여는 법을 이룸에게 배운다. 그리고 다짐한다. 새로운 사람을 만날 땐 이룸에게 받은 동그란 용기를 꺼내보겠다고.

WARM MEMORIES OF THE DAY

에디터 이다은

지난 9월 초가을의 어느 날, 폴로 랄프 로렌 칠드런과의 화보 촬영이 진행되었다. 일곱 명의 아이들은 정해진 시간에 맞춰 설렘과 긴장이 가득한 얼굴을 머금고 문을 열었다. 한 손에는 직접 색칠한 컬러링 북을, 또 한 손에는 그 안에 있는 곰에게 꼭 주고 싶은 선물을 쥐고서. 준비된 새 옷으로 갈아입고 머리 스타일을 살짝 바꾸자 아이들이 품고 있는 생기가 한층 더 살아났다. 아이들은 진하고 선명한 가을 색으로 물든 의상에 자연스럽게 스며들었다.

"마음껏 움직여봐."라는 말 한마디에 열세 살짜리 소년은 두 다리를 곧게 뻗어 점프를 하고, 다섯 살 꼬마 쌍둥이는 스피커에서 흘러나오는 동요를 흥겹게 따라 불렀다. 낯선 카메라 앞에 선 아이들은 수줍어 몸을 배배 꼬다가도 금세 환한 미소를 밝혔다.

저마다 고른 페이지도, 좋아하는 색도, 완성된 작품에 붙인 제목도 달랐다. 유일한 공통점은 각자의 곰과 어느새 친구가 되어 있다는 사실이다. 곰에게 직접 색색별 옷을 입혀주는 동안 둘 사이에 오갔을 대화를 떠올리니 슬그머니 미소가 번졌다. 밝은 빨간색 점퍼를 입은 아이에게 다가가 "그림 속 곰돌이에게 주고 싶은 선물이 있니?" 하고 물으니, 아이는 부끄러운 듯 대답한다. "멋있는 남자 친구요. 곰돌이가 외로워 보이잖아요."
그 날의 결과물은 고스란히 한 권의 잡지에 담겨 있다. 어른이 된 어느 날, 문득 잡지를 꺼내 페이지를 펼치면 엄마와 함께 곰돌이를 색칠하던 다정한 시간과 처음 느꼈을 생경한 스튜디오의 공기, 낯선 사람들과의 짧은 대화를 떠올리게 되겠지. 그 날의 온기가 따뜻한 선물이 되기를 바란다.

PICTURE BOOK

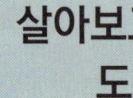

살아보고 싶은
도시

ⓒ내 토끼가 또 사라졌어!

글 전은주

전은주
라디오 방송작가로 활동하다 아이를 낳고 육아에 전념하면서 그림책의 세계를 알게 되었다. 현재 네이버 카페 '제이그림책모임'에서 다양한 그림책 독자들의 모임을 운영한다. 《빨강 두 그림책 육아》, 《영어 그림책의 기적》 등을 펴냈으며 1인 그림책 전문 잡지 《라구페라쿰》을 발행하고 있다.

뉴질랜드의 캠핑카, 파리의 작은 스튜디오에서 한 달씩 산 적이 있다. 사람들은 여행의 맛을 아는 가족이라고 부러워했지만, 실상은 비행기표가 비싸니까 한 번 갔을 때 오래 있는 것이다. 우리 가족은 1박 2일 짧은 여행은 거의 가지 않고 한꺼번에 길게 여행한다. 신용카드로 마일리지를 모아 항공권을 업그레이드하고, 현지식을 먹는다. 어디에서 살고 싶은지 아이들과 의논하고 고민하는 게 행복하다. 나는 이왕이면 영어권에 가고 싶다. 《영어 그림책의 기적》 저자로서 하루 종일 영어 그림책이 가득한 서점과 도서관에 파묻혀 있길 원한다. 괜찮은 중고 서점에서 발견하는 '상태 최상' 중고도 좋지만, "사랑하는 나탈리에게. 생일 축하한다. 증조 할머니가"처럼 공들여 쓴 필기체 메모도 좋다. 그리고 시골보다 오래된 큰 도시가 좋다. 바닷가에서만 날뛰던 아이들이 이제 좀 자라서 미술관도, 레스토랑도 갈 만하다. 오래된 도시, 공원의 둥치 굵은 나무들의 운치야 말해 무엇하랴. 마지막으로 자전거를 타기 좋은 도시면 좋겠다. 이방인이 고작 한 달 살면서 버스를 타고 다니려면 노선 외우기도 빠듯하겠지. 조금 느리지만 풍경과 바람을 모두 느낄 수 있는, 주차 걱정도 없는 자전거가 더 편할 것 같다.
진지하게 구글맵 항공샷으로 구경해본다. 그 도시엔 어떤 사람들이 사는지 인스타그램 해시태그로 동네 이름을 넣어보기도 한다. 그곳을 배경으로 한 영화나 소설, 무엇보다도 그림책을 읽는다. '해리포터' 영화를 본 사람과 보지 않은 사람에게 호그와트 마법학교로 가는 기차가 서는 킹스크로스역 9와 3/4 플랫폼은 서로 다른 느낌일 테니까. 아무리 낯선 공간도 내가 스토리를 담고 추억을 심으면 어느새 정다운 곳이 될 테니까.
자, 이제 자전거 타기 좋은 옛 도시로 가서 살아보기로 정했으니, 자전거만 배우면 된다!

글 전은주 에디터 김현지

내 토끼가 또 사라졌어!

글·그림 모 윌렘스 | **옮김** 정회성 | 살림어린이

시골 쥐의 서울 구경

글 방정환 | **그림** 김동성 | 길벗어린이

코끼리와 꿀꿀이, 비둘기 시리즈 등으로 유명한 모 윌렘스는 (칼데콧상을 세 번이나 수상했다!) 뉴욕과 떼려야 뗄 수 없는 작가다. 뉴욕 브루클린에서 살고 있을 뿐만 아니라, 내 토끼 시리즈에서 아예 브루클린 거리 사진을 직접 배경으로 쓴다. 트릭시가 아빠랑 함께 걷는 공원은 프로스펙트 파크고, 트릭시의 학교 주소는 PS 107, 1301 8th Avenue다. 파크 슬로프 도서관 마당에는 아예 토끼 인형 동상이 있고, 뉴욕의 많은 도서관들은 책 속 현장으로 떠나는 투어 행사를 종종 진행한다. 영화 촬영지 투어는 들어봤어도, 그림책 현장 투어라니 흥미진진하지 않은가? 언젠가 뉴욕을 배경으로 한 그림책들을 모아서 한꺼번에 기획투어를 하고 싶다. 엠파이어 스테이트 빌딩에 가서 데이비드 위즈너의 《구름공항》에서 나온 구름을 만드는 공장이 어디쯤 있을지 보고 싶고, 이젠 사라진 쌍둥이 빌딩이 있던 곳, 그라운드 제로에서는 《쌍둥이 빌딩 사이를 걸어간 남자》 필립 쁘띠를 추억하련다. 메트로폴리탄 미술관에 가기 전에는 《그래도 엄마는 너를 사랑한단다》의 주인공 돼지 소녀 올리비아를 다시 한번 보고 가는 거야. 아, 상상만 해도 설렌다. BTS 부럽지 않은 나의 그림책 아이돌들!

내 친구들은 대체로 "어디에 사는지 내 마음대로만 된다면야 아이들 어릴 땐 도시(그것도 강남!), 아이들이 성인이 되어 독립하면 나는 한가롭게 시골에서 살고 싶어."라고 한다. 나는 외모는 컨트리 스타일이나, 취향은 전형적인 시티걸이라 친구들과 반대로 "아이들이 어릴 땐 시골, 커서는 도시."라고 주장한다. 하지만 김동성 작가의 그림책을 보노라면 "역시 사람은 자연 속에서 살아야 하는 걸까?"라는 생각이 든다. 시골 풍경이 얼마나 아름다운지 넋 놓고 보다가 줄거리를 놓칠 정도다. 이 책은 시골 쥐와 도시 쥐가 서로 사는 곳을 바꾸어 방문하는데, 시골 쥐가 고양이에게 쫓기고 나서 "역시 시골이 최고야."라고 고개를 절레절레 내젓는 이솝 우화의 우리나라 버전이다. 시대 배경은 전차가 땡땡 종을 울리며 지나다니던, 서울이 아니라 경성이던 시절. 김동성 작가의 다른 책 《엄마 마중》의 그 시대다. 도시의 바쁜 삶과 시골의 한가로움이 앞뒤 면지만 봐도 확 느껴진다.

파리의 엄마 뉴욕의 엄마

글 플로랑스 마르스 | 그림 폴린 레베크 | 옮김 권지현 | 길벗스쿨

도시에 사는 우리 할머니

글·그림 로렌 카스티요 | 옮김 이상희 | JEI재능교육

프랑스의 두 엄마가 뉴욕으로 이사하면서 두 나라의 교육 방식과 가치관이 너무나 다른 것에 충격을 받는다. 한마디로 파리에서는 부모의 집에 아이가 살고, 뉴욕에서는 아이의 집에 부모가 산다! 파리 부모들은 엄격하고 칭찬에 인색하되 세련되고 예의 바르다면, 뉴욕에서는 좀더 아이 중심이다. 부모의 주말 일정은 아이 행사에 따라 정해지고, 칭찬과 격려가 퍼부어지는 뉴욕 스타일! 그래서 두 사람은 뉴욕과 파리의 육아 스타일에 대해 책을 쓰기로 했다. 한 명은 뉴욕 스타일에 반했고, 한 명은 "그래도 난 파리가 더 좋아". 글 작가 플로랑스 마르스는 원색 없이 화사하고 우아한, 전형적인 프랑스 아동복 '봉쁘앙'의 미국 부사장을 역임했다. 플로랑스 마르스와 폴린 레베크 중 누가 뉴욕 스타일이고, 누가 파리 스타일일까? 책을 읽다 보면 자연스레 나는 어느 스타일인가 생각하게 된다. 이럴 땐 이렇게, 저럴 땐 저렇게 양쪽 다 넘나드는 코리안 스타일!

《도시에 사는 우리 할머니》의 원제는 《Nana in the City》. Nana는 할머니라는 뜻이다. 대부분 그림책에서 할머니는 시골에 살지만, 이 책에선 거꾸로다. 시골에 사는 손자가 뉴욕 대도시에 사는 할머니를 만나러 간다. 소년은 배를 타고 브루클린 다리 아래를 지나 도시로 들어간다. 소년에게 뉴욕은 거리 곳곳에서 공사 때문에 흰 연기가 뿜어져 나오고, 거리 공연을 하는 사람들과 뉴욕의 명물 노란 택시 등 수많은 차들로 시끄러운 곳이다. 단풍이 아름다운 센트럴 파크에서도 무섭기만 하다. 이런 손자를 위해 할머니는 빨간 망토를 만들어준다. 슈퍼맨처럼 용감해지는 망토다. 그제야 아이도 도시가 좋단다. "할머니는 도시가 더 좋단다." 하긴, 노인에겐 병원 가까운 도시가 나은 것 같기도 하다. 2015년 칼데콧상 수상작이다.

뗏목을 타고

글·그림 짐 라마르크 | **옮김** 이주희 | 느림보

리디아의 정원

글 사라 스튜어트 글 | **그림** 데이비드 스몰 | **옮김** 이복희 | 시공주니어

시골이든 도시든 그곳에서 사는 것과 놀러 가는 것은 완전히 다른 일이다. 아마 장단점이 확 바뀌지 않을까. 이 책은 시골 할머니 댁에 놀러 갔을 때의 장점을 가장 확실하게 보여준다. 주인공은 처음에는 엄마 아빠 일정 때문에 억지로 시골로 보내진 아이답게 내내 찌푸린 얼굴이다. 하지만 놀 거리가 너무 없다 보니 어쩔 수 없이 거닐게 된 강가에서 작은 동물들을 만나고, 어느 아침 우연히 해 뜨는 모습을 보면서 조금씩 바뀐다. 하루종일 강가를 모험하고 물놀이를 하고, 빈둥빈둥대다 급기야 아이가 새로 만난 동물들을 그리는 모습을 보면서, "아 지루함은 창작의 고향이구나." 실감하게 된다. 이런 길고 덥고 지루하고, 새로운 여름! 나에게도 기회가 있을까?

사라 스튜어트, 데이비드 스몰 부부의 걸작 《리디아의 정원》은 편지글 그림책이다. 《뗏목을 타고》의 주인공은 집안 형편 때문에 도시에서 시골로 가지만, 리디아는 시골에서 도시 삼촌댁으로 간다. 웃지 않는 삼촌 집에서 빵집 일을 도우며 지내는 리디아가 고향 가족에게 보내는 편지들이다. 리디아는 황량하던 도시의 곳곳을 시골집처럼 화사한 꽃과 싱그러운 초록 나무들로 채운다. 무뚝뚝한 삼촌이 활짝 웃을 것을 기대하며 빵집 버려진 옥상 공간을 초록이들로 꾸민다. 내가 이 책에서 가장 좋아하는 부분은 결국 삼촌은 웃지 않는다는 것이다. 사람은 그렇게 쉽게 바뀌지 않는다. 하지만 마음은 늘 바뀐다. 리디아는 이제 안다. 삼촌이 내민 케이크 한 개가 '천 개의 웃음'만큼 마음을 담고 있다는 것을. 진실은 드러나는 것보다 숨어 있고, 그 진실을 알아볼 줄 아는 것이 진정한 성장이라는 것을 시골 소녀 리디아가 보여준다. 생각만 해도 울컥해지는, 나의 걸작 《리디아의 정원》.

세계에서 가장 행복한 나라의 비밀
피터 일스테드

얼마 전 흥미로운 제목의 책을 한 권 읽었다. 《덴마크 사람은 왜 첫 월급으로 의자를 살까》라는 책이었다. 저자이자 일본의 디자인 가구 쇼핑몰 '리그나'의 대표이사 오자와 료스케는 가구 거래처를 개척하기 위해 덴마크에 방문한다. 2016년 유엔이 발표한 세계 행복지수 보고서에 따르면 덴마크는 '세계에서 가장 행복한 나라'로 뽑힌 국가다. 이 신기한 나라에서 그는 흥미로운 사실 하나를 발견한다. 바로 덴마크 사람들이 대부분 첫 월급을 받으면 의자를 비롯한 인테리어 소품이나 가구를 구입한다는 것이다. 오자와 료스케는 이 흥미로운 사실에 대해 연구한 자신만의 의견을 한 권의 책 안에 담았다. 한국이나 일본 사람들은 돈이 생겼을 때 손목시계나 옷 등 자신을 꾸미는 물건에 투자하지만, 덴마크 사람들은 가족, 친구들과 쾌적하게 지낼 수 있는 공간에 가장 먼저 투자한다는 것이다. 그렇다면 왜 덴마크인들은 인테리어와 가구, 소품에 우리보다 더 큰 의미를 두고 돈을 투자하는 것일까?
이런 고민을 하다 떠오른 그림이 있다. 바로 덴마크 화가 피터 일스테드Peter Ilsted다. 그의 그림에는 다양한 의자가 등장한다. 등받이가 넓고 뚫려있는 의자, 흰색에 샛노란 방석으로 매칭된 의자…

글 이소영 옥다터 이다은

이소영
미대를 나와 대학원에서 미술교육과 미술사를 전공하고, 오랜 시간 서울시민미술관에서 전시해설을 했다. 현재 '소통하는 그림연구소'를 운영하며 미술 교육 콘텐츠를 연구하고, 다양한 매체를 통해 미술을 전달하고 있다. 저서로는 《그림은 위로다》, 《오지스 할머니, 평범한 삶이 행복을 그리다》, 《출근길 미술관 한 점》 등이 있다.

피터 일스테드, Little Girl in a Flat Cap, 1924

코펜하겐 실내파를 아시나요?

피터 일스테드는 초기에는 장르화와 초상화 위주로 작품 활동을 했지만 그의 누이인 이다가 당시 덴마크의 유명한 화가 빌헬름 함메르쇠이Vilhelm Hammershøi와 결혼한 뒤 함메르쇠이에게서 영감을 받았다. 그는 함메르쇠이와 칼 홀소에 Carl Holsoe 같은 화가들과 함께 진보적인 미술가 그룹 'The Free Exhibition'을 만든다. 이 화가들은 고요한 실내 풍경, 그리고 빛과 공간에 대해 탐구했다. 훗날 그들은 '코펜하겐 실내파'라고 불린다.

피터 일스테드의 그림들은 하나같이 고요한 실내에 가족들을 등장시킨다. 어두운 실내에서 그가 그린 몇 안 되는 주인공들에게는 늘 후광이 느껴진다. 온종일 생활 전선에서 뛰어다니다가 집에 와서 피터 일스테드의 그림 속 풍경을 보면 조심스럽게 저 의자에 앉아 한없이 정착하고 싶은 욕구가 든다. 정연한 실내 풍경을 보고 있으면 마음이 차분해지는 까닭이다.

피터 일스테드, Two Girls Playing, 1900

이 그림 속에는 의자 두 개가 등장한다. 소녀가 앉은 의자와 소녀 앞에 있는 의자는 한 세트인 것 같다. 자세히 보면 오랜 시간 앉고 또 앉아서 나뭇결이 반들반들 빛이 난다. 아마도 저 의자의 시작은 소녀의 아버지, 또 아버지의 아버지부터였을지 모른다. 긴 세월 동안 소녀의 가족에게 휴식처가 되어주고, 귀한 손님의 자리도 되어주었을 것이다. 화가의 집에서도 의자는 꼭 필요한 가구였다.

북유럽은 추운 날씨 덕분에 집 안에서 보내는 시간이 다른 나라보다 길다. 그러다 보니 우리에게도 인기가 많은 북유럽 가구들은 이런 환경적 조건에 따라 특징을 가지게 되었다. 다른 나라의 가구들보다 오랜 시간 동안 집에 있어도 질리지 않는 심플한 디자인과 실용성이 발전한 것이다. 덴마크 의자는 장식이 많은 프랑스나 이탈리아 의자들과는 다르다. 색 역시 긴 겨울과 긴 밤 시간을 산뜻하게 보내기 위한 파랑, 노랑, 빨강 같은 원색이 많다.

그 화가의 집, 그 화가의 의자

의자는 침대나 책상, 식탁 같은 가구들을 구입할 때보다 부담이 적고, 이 공간 저 공간으로 옮기며 다양하게 활용할 수 있다. 실제로 의자에 애정이 깊은 의자 수집가들이 있다. 아이돌 그룹 빅뱅의 멤버인 탑은 예술 콜렉터로 유명한데 그가 콜렉션에 관심을 가지기 시작한 것도 바로 의자부터였다. 열아홉 살에 데뷔한 그는 스물두 살 때부터 디자인 의자를 모으기 시작했다. 그는 한 인터뷰에서 '의자는 작은 건축과도 같다.'며 의자 사랑을 표현했다. 멋진 의자를 수집할 때 행복해지고 일을 더 열심히 해야겠다는 생각이 든다고 말이다. 인터뷰에서 이런 이야기를 남기기도 했다.
"멋진 디자인에는 좋은 에너지가 있어요. 그런 의자에 앉아 있으면 노래 가사도 더 잘 써지고 시나리오를 읽을 때도 머리에 쏙쏙 잘 들어오는 것 같아요."
그는 어쩌면 삶의 질이 나아지는 공간의 비밀을 이미 터득한 것 같다. 인테리어는 행복과 밀접한 관계가 있다. 우리의 인생은 곧 시간이고, 그 시간을 보내는 곳이 바로 공간이다. 그러므로 공간을 꾸민다는 것은 시간을 잘 보내는 것이고 시간을 잘 보내는 사람은 더 만족스러운 인생을 살게 된다.
일상이 소란스러울 때는 피터 일스테드의 그림 속 의자들과 조용한 실내 풍경을 떠올린다. 그리고 작지만 가장 안락한 내 집으로 대피해 휴식을 누릴 시간을 꿈꾼다. 사소한 지혜로 삶의 질을 높이는 방법, 그중 하나가 내 집에 나를 위한 의자를 들여놓는 일 아닐까.

피터 일스테드, At the Window

BOOK

덴마크 사람은 왜 첫 월급으로 의자를 살까

글 오자와 료스케 | 옮김 박재영 | 꼼지락

정말 순수하게, 제목에 대한 답이 궁금해서 나는 이 책을 읽었다. 그리고 읽다 보니 깨달 았다. 삶에서 가장 중요한 것은 밖에서 찾는 것이 아니라 주변에서 찾는 것이라는 것을. 두께도 얇아서 금방 읽히지만 자기계발서도 아니고 인테리어 책도 아닌 이 책에서 나는 의외로 많은 통찰을 얻었다.

MOVIE

대니쉬 걸

톰 후퍼 | 드라마 | 미국, 영국 | 119분

덴마크 화가 부부의 이야기다. 더 정확히 말하면, 여자가 되고 싶어서 세계 최초로 수술을 감행한 남편을 오로지 이해하는 한 여성의 이야기라고 하고 싶다. 영화 곳곳에서 그들이 살았던 덴마크의 풍경이 나온다. 영화를 통해 100년 전 화가 부부였던 게르다 베게너와 릴리 엘베의 삶을 만나다 보면, 나는 내가 원하는 모습으로 살고 있는지에 대해 되묻게 된다.

MUSIC

Betty

Blink

대학 시절부터 좋아하던 덴마크 밴드를 소개한다. 이름은 Blink. 타이틀 트랙이었던 'Betty'는 덴마크 방송 차트에서 폭발적인 반응을 얻은 곡이다. 이들은 1986년 개봉한 장 자크 베넥스의 영화 〈베티블루 37.2〉를 보고 이상하지만 아름다웠던 인물 베티에게서 영감을 받아 이 음악을 만들었다. 늘 털모자를 쓰는 그들에게 자꾸 털모자를 쓰는 이유를 물었더니, 그들은 덴마크가 너무 추워서 7개월 정도는 털모자가 필요하며, 동시에 털모자를 쓰면 약간 모자라 보이기 때문이라고 대답했다. 한국에서는 그들의 음악 중 'Kiss Me'도 광고에 나와 인기가 많았다. 한번 검색해 들어보시라. 첫 구절에서 '앗! 이 노래 나도 알아!' 할 만큼 유명하다.

FOOD

겨울 채소로 만드는 아이 반찬

글·사진 이재림 에디터 이다은

* 계량 기준 1T(15ml), 1t(5ml), 1컵(200ml)

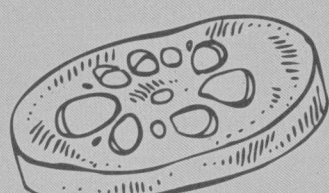

겨울에는 다른 계절에 비해 일조량이 적고 야외 활동의 비율도 낮아진다. 태양 에너지를 가득 받아 건조된 채소들을 섭취해 부족한 비타민 D를 보충하기도 하고 가을에 수확된 뿌리채소를 가장 맛있게 즐길 수 있는 계절이기도 하다. 식물의 근간이 되는 뿌리채소는 토양 에너지를 듬뿍 담고 있어 세포를 단단하게 해주고 거기에 포함된 알칼리 성분들이 대사를 촉진시키고 대사노폐물을 배출해준다. 뿌리채소의 비타민과 미네랄은 대부분 껍질의 섬유질에 함유되어 있으니 깎지 말고 껍질째 잘 씻어 요리하면 좋다. 쉽게 구할 수 있는 무말랭이와 연근, 당근을 이용하여 아이들도 좋아하고 온 가족이 즐길 수 있는 반찬을 소개한다. 냉장고에 3일 정도는 보관할 수 있으나 먹기 전에 실온에 두어 충분히 냉기를 가시게 해서 섭취하는 것이 몸을 차갑지 않게 하는 방법이다.

이재림
마크로비오틱 라이프스타일을 모티브로 구현하는 마크로비오틱 에듀키친 '마크로he'를 활동하고 있다. 이외에 마크로비오틱 라이스쿨 인스트럭터, 다함회 인증 마크로비오틱 메디컬쉐프, 다함회 인증 마크로비오틱 라이스쿨 사범으로 있다.

당근 오렌지 샐러드

항산화 성분인 베타카로틴, 비타민 A, C, E가 풍부한 당근은 눈의 건강을 지켜주고 피부를 아름답게 만들어준다. 독특한 향 때문에 아이들이 싫어할 수 있으나 마크로비오틱 조리법으로 당근이 가지고 있는 단맛을 더욱 빛나게 만들어주면 누구나 좋아하는 당근 요리를 만들 수 있다. 과일은 대부분 과식하면 몸이 차가워져 쉽게 감기에 걸리고 과당 때문에 점막이 약해질 수 있어 요리의 단맛과 신맛을 내는 재료로 활용하는 것이 마크로비오틱 요리의 특징이다.

재료(4-5인분)
당근(중) 1개, 소금 ⅓t, 오렌지 1개 혹은 작은 귤 3개, 올리브유 1T

만들기
1 당근은 곱게 채 썰어 소금에 버무려 20여 분 둔다(채를 가늘게 썰수록 당근 특유의 향은 사라지고 단맛이 강해진다).
2 오렌지(귤)는 껍질을 까고 먹기 좋게 썰어둔다.
3 1의 당근이 반짝거리면 올리브유에 버무린 뒤 오렌지(귤)를 넣고 좀더 버무려준다.

깨두부에 버무린 연근과 브로콜리

참깨는 호르몬 분비를 원활하게 해주는 양질의 지방과 단백질, 뼈를 튼튼하게 하는 칼슘을 풍부하게 갖고 있다. 철분과 비타민 E, B 등이 함유되어 있어 피부를 부드럽게 지켜주고 뇌세포를 활성화시키며 혈관을 청소해 노화를 방지해준다. 두부와 마크로비오틱적 균형도 잘 맞는 식재료다. 겨울철에 볶은 참깨를 적당하게 섭취하면 피부가 건조해지는 걸 막아주고 활기도 되찾아준다.

재료(4~5인분)
두부 80g(¼모), 소금 약간, 소금 ⅓t, 볶은 참깨 2t, 연근 90g, 브로콜리 50g

만들기
1 끓는 물에 소금 약간을 넣고 끓어오르면 두부를 데친 뒤 제에 받쳐둔다(데치는 시간이 길어질수록 물기가 많이 빠져 단단해지니 취향에 맞춰 조절해보자).
2 연근과 브로콜리는 한입 크기로 썬다. 끓는 물에 썰어둔 연근과 브로콜리를 넣고 2분 정도 익힌 뒤 건져내 연근은 찬물에 헹군다. 연근과 브로콜리의 물기가 충분히 빠지도록 놔둔다.
3 소금 ⅓t와 참깨를 잘 갈아 깨소금을 만든 다음 두부를 으깨 넣어 깨두부를 만든다.
4 2의 연근과 브로콜리를 3의 깨두부에 버무려 낸다.

무말랭이 조림

가을무를 썰어 건조한 가을볕에 바짝 말린 무말랭이는 태양 에너지를 듬뿍 담고 있다. 원래 무가 가진 수분이 응축되어 맛이 진해져서 생무보다 훨씬 달다. 말리지 않은 무에 비해 다량의 칼슘과 항산화 비타민을 함유하고 있어 오랫동안 축적된 지방을 분해하는 데도 도움이 된다. 아이들이 먹기 쉽도록 식감이 보드라워지게 끓이고 맵지 않게 간장으로 간을 하면 밥반찬으로도 좋고, 김밥 속 재료로도 활용할 수 있다. 아이가 생강 향을 매워하면 넣지 않아도 된다.

재료(4~5인분)
가는 무말랭이, 당근 15g, 유부 1장, 불린 표고버섯 ½개, 채 썬 다시마 적당량, 채 썬 생강 적당량, 물 150cc, 간장 2t

만들기
1 무말랭이는 볼에 담고 물에 비벼 씻어 체에 받쳐둔다.
2 유부는 마른 팬에 구워 얇게 썰고, 당근은 채 썬다. 표고버섯은 기둥과 갓을 분리한 후, 갓은 0.3cm 정도 두께로 방사형으로 자르고 기둥은 찢는다.
3 유부를 구운 팬에 약불로 불을 올려 채 썬 당근을 볶아 숨이 죽으면 표고버섯을 넣고 함께 볶는다. 1의 무말랭이를 넣고 함께 볶다가 무말랭이의 매운 향이 날아가면 채 썬 다시마와 물을 넣고 끓인다.
4 물이 한두 스푼 정도 남았을 때 간장과 유부를 넣고 조린다. 수분이 없어질 때까지 조린 후 불을 끄고 취향에 따라 생강채를 섞는다.

WINTER VACATION IN A WARM SOUTHERN ISLAND

따뜻한 남쪽 섬나라

겨울 방학이 다가오면 부모들은 아이와 함께할 여행지를 고민한다. 휴식과 레저 스포츠를 원한다면 태평양 한가운데의 섬을 떠올려보자. 연중 따뜻한 열대성 기후와 에메랄드빛 바다를 갖추고 치안이 좋은 괌과 사이판에는 아이들이 즐길 거리가 충분하다.

에디터 김현지 자료 협조 PIC 리조트 한국사무소

올 인크루시브 리조트

가족 단위 여행자들이 즐겨 찾는 PIC는 호텔 숙박과 식사, 리조트 내 워터파크에서 각종 레저 스포츠를 체험할 수 있는 올 인크루시브All Inclusive 리조트다. 골드 카드가 있다면 여행 내내 필요한 모든 것이 제공된다.

아이들의 학교, 키즈클럽

PIC 괌, 사이판은 투숙객 중 만 4세에서 11세 어린이들은 누구라도 무료로 참가할 수 있는 키즈클럽을 운영한다. 워터파크에서의 물놀이부터 그림 그리기, 영화 감상 등 다양하고 유익한 프로그램이 있다. 미국, 일본, 유럽 등 다양한 나라에서 선발되어 각종 자격증을 갖춘 클럽메이트들이 아이들과 시간을 보낸다. 세계 각국에서 온 아이들과 함께 시간을 보내고 자연스럽게 다양한 문화를 체험하며 영어를 접하기 쉽다. 오전반, 오후반, 종일반을 운영하며 클럽메이트들이 아이들을 돌봐주기 때문에 부모들은 자유 시간을 가지거나 관광을 할 수 있다.

**시원한 물놀이의 유혹,
워터파크 들여다보기**

PIC 괌 70여 가지 액티비티가 가능한 괌 최대 규모 워터파크를 보유하고 있다. 카약을 타고 유유히 열대 풍경을 감상할 수 있는 '라군 카약'과 워터 슬라이드, 수중 줄다리기, 수중 배구, 통나무 굴리기 등이 있는 '게임풀', 200여 종의 열대어와 산호초들로 실제 바닷속을 탐험하는 듯한 느낌을 자아내는 '인공수족관' 등 다양한 종류의 수영장이 있다. 가족 여행객이 많이 찾는 만큼 수심 80cm의 키즈풀과 20cm의 유아풀도 운영 중이다. 유아풀에는 클럽메이트가 상주하며, 아이들을 위한 놀이 기구가 마련되어 있어서 어린 자녀와 함께 시간을 보내기에 적합하다.

리조트 바로 앞 해변으로 나가면 세일링, 윈드서핑, 카약, 카누 등 비치 액티비티가 가능하다. 또한 스포츠존에 가면 피트니스 센터와 양궁과 트램펄린, 테니스 등 즐길 거리가 넘쳐나니 리조트 내 액티비티만 즐기기에도 일정이 모자란다.

PIC 사이판 워터파크존에는 20m에 달하는 대형 워터 슬라이드 3대, 500m 길이의 유수풀인 레이지리버, 30m 높이의 장대한 폭포 등이 있으며 워터 에어로빅, 폴로, 농구 등 다양한 워터 스포츠가 가능하다. 워터파크를 휘감아 도는 강 위에서 튜브를 타고 한가로운 휴식을 즐길 수 있는 레이지리버는 PIC 사이판 최대의 명물. 흐르는 강 위를 떠다니다가 중간마다 마주치는 폭포와 소용돌이를 지나가는 재미도 쏠쏠하지만 여유롭게 파란 하늘과 뛰어난 주변 경관을 조망하는 즐거움이야말로 레이지리버의 최대 매력이다. 또한 사이판 유일, 인공 파도를 헤치며 서핑을 즐기는 포인트 브레이크는 익사이팅한 워터 스포츠를 즐기고 싶어 하는 젊은이들부터 안전하게 파도타기를 즐기고 싶은 어린이들과 중년층까지 다양한 고객에게 인기 만점인 시설이다. 파도타기를 해본 적 없는 사람도 클럽메이트의 도움을 받아 쉽게 이용할 수 있다.

**PIC 만능 엔터테이너,
클럽메이트**

PIC 내 어느 곳에서나 만날 수 있는 클럽메이트는 미국, 호주, 한국 등 세계 각국과 괌, 사이판 현지에서 선발된 스포츠 강사 자격증을 갖춘 PIC 전매특허 엔터테이너들이다. 각종 스포츠 강습은 물론 액티비티와 게임 등을 진행하며 손님들에게 즐거움을 선사한다. 키즈클럽에서는 선생님이 되고, 워터파크에서는 안전 요원 또는 물놀이 친구가 되어준다. 특유의 친근하고 유쾌한 모습으로 PIC을 다녀간 손님들이 오랜 기간 PIC을 추억하게 만드는 인물이기도 하다.

GREET!

호두까기인형

연말이면 찾아오는 크리스마스 선물 〈호두까기인형〉이 올해도 돌아왔다. 차이콥스키의 음악, 꿈꾸는 듯 아름다운 이야기와 화려한 볼거리로 오감을 만족시키며, 발레를 처음 보는 아이들도 즐겁게 즐길 수 있는 공연이다. 어여쁜 소녀 클라라와 듬직한 호두까기인형을 따라 환상의 나라로 떠나보자.

유니버설아트센터
uac.co.kr
2019. 12. 21.~31.

빅 피쉬

'내 삶은 어떤 이야기로 기억될까?'라는 테마를 통해 황홀한 상상과 현실을 넘나드는 빅피쉬 월드에 초대한다. 허풍쟁이 에드워드 블룸이 인생의 여정에서 만난 마녀와 인어, 거인은 정말 존재했을까? 가족에 대한 그의 사랑만은 진실된 것일까? 질문에 대한 답은 공연을 통해 저절로 알게 될 것이다.

예술의전당 CJ 토월극장
sac.or.kr
2019. 12. 04.~2020. 02. 09.

장화 신은 고양이 비긴즈

러시아의 대표 가족 뮤지컬 〈장화 신은 고양이 비긴즈〉가 12월 한국을 찾아온다. 가난한 장피에르에게 남겨진 주황색 고양이 한 마리가 펼치는 동화 같은 이야기에 빠져보자. 클래식, 록, 팝을 넘나드는 뮤지컬 넘버를 즐길 수 있으며, 공연이 끝나고 약 15분간 온 가족이 캐롤을 따라 부르는 싱어롱 타임도 준비되어 있다.

국립중앙박물관 극장 용
cfnmk.or.kr
2019. 12. 14.~2020. 02. 09.

쥬만지: 넥스트 레벨

작년 겨울, 우리를 쥬만지의 추억 속으로 이끌었던 〈쥬만지: 새로운 세계〉 이후 또 다른 모험이 펼쳐진다. 이번에는 스펜서와 친구들, 스펜서의 할아버지 에디와 마일로까지 게임 속으로 빨려 들어가 함께 미션을 수행한다. 랜덤으로 배정된 아바타에 황당해하는 것도 잠시, 정글, 설산, 사막 등 예측 불가 상황에서 짜릿한 모험이 펼쳐진다.

2019. 12. 개봉

겨울왕국 2

수많은 어린이들의 우상, 기다란 금발 머리에 반짝이는 하늘색 드레스를 입고 'Let it go'를 외치던 엘사가 돌아왔다. 진정한 가족이 된 엘사와 안나, 크리스토퍼와 올라프가 위기에 처한 아렌델 왕국을 구하기 위해 숨겨진 세상으로 떠난다. 더 강력해진 엘사의 능력과 노래가 벌써부터 기대를 모은다.

2019. 11. 21. 개봉

캣츠

남루한 차림의 그리자벨라가 구슬프게 'Memory'를 부르는 장면을 좋아한다면, 새로운 버전의 'Memory'를 들을 기회를 놓치지 말자. 이미 많은 사랑을 받고 있는 뮤지컬 〈캣츠〉가 영화 〈레미제라블〉로 잘 알려진 톰 후퍼 감독의 지휘 아래 영화로 재탄생됐다. 뮤지컬과는 다른 매력을 기대해보자.

2019. 12. 18. 개봉

바다로 간 고래
글 트로이 하월 | 그림 리처드 존스
| 옮김 이향순 | 북뱅크

고래로 태어났으면서도 한 번도 바다를 본 적 없는 고래 '웬즈데이'는 도시 한복판 어항에서 사람들의 구경거리로 살고 있다. 어느 날, 아주 높게 뛰어오를 때만 보이는 저 먼 '파랑'이 사실은 진짜 자신의 집인 바다라는 사실을 알게 된 웬즈데이. 웬즈데이가 좁은 어항을 넘어 넓고 푸른 집을 찾아가는 과정은 자유의 의미를 되새기게 해준다.

달과 아이
글·그림 장윤경 | 길벗어린이

연못에 사는 달과 달을 찾아온 아이 사이에서 피어난 우정 이야기다. 긴 여름 동안 함께 헤엄치고, 가만히 누워 향긋한 풀 냄새를 맡고, 찌르르 곤충 소리도 들으며 우정을 키워나가던 달과 아이는 어느 날 아이가 집으로 돌아가버리면서 멀어지게 된다. 하지만 계절이 지나면서 둘의 우정도 다른 방식으로 성장해나간다.

빨간 양말
글·그림 황숙경 | 한림출판사

어느 날 다람쥐가 발견한 빨간 양말 한 짝. 다람쥐는 그 양말을 도토리 보따리로 요긴하게 쓴다. 이후 병아리, 쥐, 원숭이, 코끼리 등 여러 숲속 친구들이 저마다 쓸모에 맞게 양말을 활용하는데…. 모두에게 꼭 맞는 빨간 양말! 이번에는 또 누구의 마음에 들게 될까?

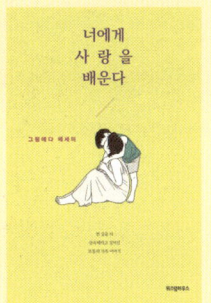

너에게 사랑을 배운다
글·그림 그림에다 | 위즈덤하우스

글과 그림이 섞인 육아 에세이자 한 가족의 성장을 담은 기록이다. 저자인 '그림에다'는 평범한 직장인 아빠에서 일련의 과정을 통해 육아를 경험하게 된 아빠로, 부모가 되지 않았다면 모를 뻔한 가슴 벅찬 사랑을 고스란히 담아냈다. 저자는 책을 통해 육아는 희생이 아니라 서로 사랑하는 법을 배우는 과정이라고 말하는 듯하다.

다름 아닌 사랑과 자유
글 김하나 외 | 문학동네

김하나, 이슬아, 김금희, 최은영, 백수린, 백세희, 이석원, 임진아, 김동영. 많은 사랑을 받는 아홉 명의 작가들이 '동물권행동 카라'의 일대일 결연 후원 방식을 알리기 위해 힘을 모았다. 일대일 후원자가 된 작가들이 직접 담은 동물에 대한 이야기는 '인권을 넘어 생명권으로'라는 카라의 슬로건과 맞닿아 있다.

사기병
글·그림 윤지회 | 웅진지식하우스

그림책 작가인 저자가 위암 4기 선고를 받은 날부터의 기록을 그림과 글로 엮어낸 그림 일기다. 고통스러울 수밖에 없는 투병 생활을 담담하고 씩씩하게 담아낸 작가의 태도에서 병을 이겨내려는 굳은 의지가 보인다. '인생은 마음대로 안 됐지만 투병은 내 맘대로'라는 부제가 부디 현실로 이루어지기를.

Brand and Product

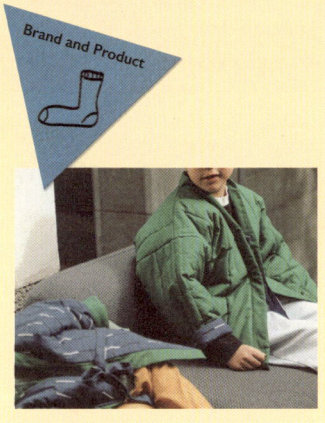

키티버니포니
KBP X STUDIO OHYUKYOUNG
Kids Plot Blue Padding Robe

KBP와 패션디자이너 오유경의 협업으로 제작된 리버시블 누빔 로브. 패턴 파트와 솔리드 파트로 양면 제작되어 다양한 룩에 어울리며, 쌀쌀한 날씨의 다양한 상황에서 아이들이 편하게 입기 좋다. 내부 누빔은 이불에 사용되는 5온스 고급 저데니아 솜을 사용하여 보온성도 탁월하다.

kittybunnypony.com

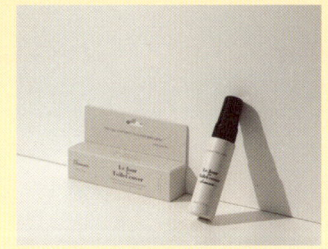

르주르 토일렛 커버 클렌저

'르주르'에서 토일렛 커버 클렌저를 출시했다. 휴대하기 좋은 스프레이형 제품으로, 변기 커버뿐만 아니라 화장실 손잡이, 기저귀 교환대 등 시설물에 뿌리고 휴지로 닦아주면 살균 및 탈취에 효과적이다. 발효와 숙성 과정을 거친 발효주정 성분과 비누풀뿌리, 병풀 등의 추출물로 만들어졌으며, 르주르만의 특별 공법이 더해졌다.

le-jour.com

삭스타즈

아주 작은 변화가 하루를 더 낫게 바꾼다는 믿음으로 좋은 양말 한 켤레의 가치를 전하는 양말 셀렉트숍. 터키의 손뜨개 양말부터 국내외 아티스트와 디자이너가 발표하는 감각적인 양말, 100년 전통의 유럽 브랜드까지 언젠가는 양말 박물관을 열겠다는 마음으로 양말을 수집, 판매하고 있다.

sockstaz.com

뚜까따

'뚜까따'는 일상에서 흔히 볼 수 있는 오브제를 새로운 관점으로 재조명하여 고객들에게 좀더 새로운 가치를 전달한다. 브랜드의 시그니처는 웃지도 울지도 않는 묘한 표정의 얼굴들. 그 얼굴의 주인공은 토마토나 가지 같은 농작물이 되거나 사슴이나 소나무 같은 동식물이 된다. 키링부터 스티커, 인형 등 일상생활 전반에 쓰이는 물품들을 제작 판매한다.

tukata.kr

스마일, 문

'스마일, 문'은 가족의 마음을 모아 가구를 만든다. 다양한 영역에서 활동하는 디자이너 엄마와 도형의 형태를 기본으로 설치와 조형 작업을 하는 아티스트 아빠가 아들을 위해 디자인하고, 40년 넘게 가구를 만들어 온 외할아버지가 손자를 위해 직접 만들며 시작되었다. 그들이 생각하는 가구의 가치는 실용성을 넘어 아이들의 상상력을 키워주는 아트 오브제다.

smilemoonkids.com

숙희

살림가게 '숙희'는 일과 살림 모두를 사랑하는 두 엄마가 론칭한 브랜드다. 살림에 꼭 필요한 것들이 무엇인지 고민하며 목화와 메밀 소재의 침구와 앞치마, 면거즈 크로스, 가방 등을 선보인다. 숙희만의 감성이 담긴 빈티지한 원단 위에는 엄마의 다정한 마음과 정성이 한 겹 더 덮여있다.

sookhee.co.kr